经全国中小学教材审定委员会2002年初审通过

义务教育课程标准实验教科书

三年级 下册

义务教育数学课程标准研制组 组编

北京师范大学出版社
·北京·

北京师范大学出版社出版发行
（北京新街口外大街 19 号　邮政编码：100875）
http：//www.bnup.com.cn
出版人：赖德胜
沈阳市第二印刷厂印刷　全国新华书店发行
开本：787 mm×1092 mm　1/16　印张：6.5　字数：156 千字
2004 年 10 月第 2 版　　2004 年 10 月第 1 次印刷
定价：7.40 元

亲爱的小朋友：

你知道数学的用处吗？

小朋友，你知道哪些地方用到数学吗？与同伴说一说。

编者大朋友

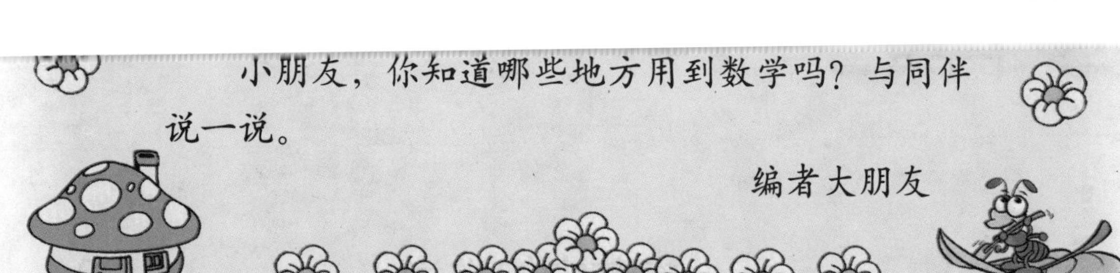

目　录

一　元、角、分与小数

买文具

笔记本____元____角，尺子____元____分，铅笔____角，
水彩笔____元____角____分，钢笔____元。

16.85　　　　读作：十六点八五。

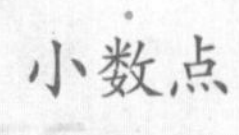

小数点

 5 元 4 角 1 分 5.41 元	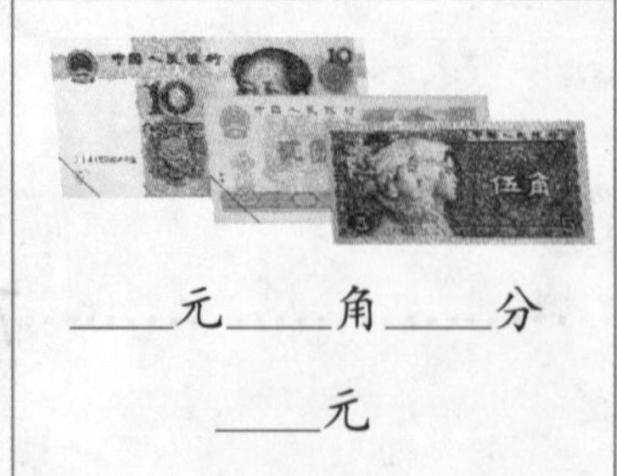 ____元____角____分 ____元	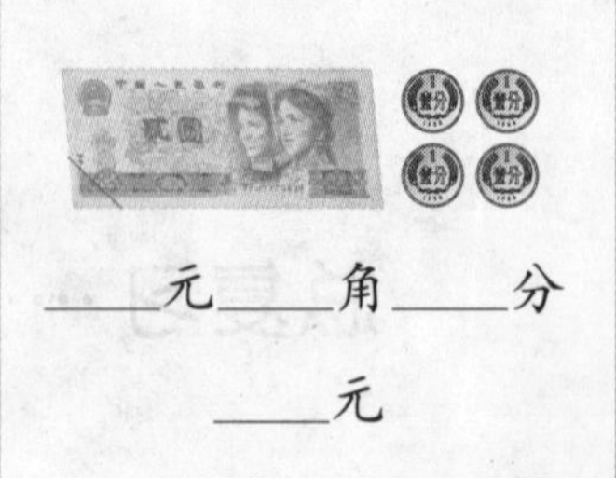 ____元____角____分 ____元

练一练

1. 写一写，读一读。

______元

______元

______元

______元

2. 统计教科书的价格，并与同伴说一说。

数学书	语文书		
7.40 元			
7 元 4 角			

3. 剪下附页 1 中的图 1 做游戏。

你知道吗

早在 1700 多年前，我国著名数学家刘徽就在《九章算术》中运用了小数。

货比三家

去哪个文具店买铅笔盒便宜？

4.9 元 ◯ 5.1 元

4.9 元 = 4 元 9 角，
5.1元 = 5元1角，……

5.1 元比 5 元多，
4.9 元比 5 元少，……

答：____________________。

你能提出哪些数学问题？并试着解答。

试一试

1.

______元 ◯ ______元

2. 在◯里填上“>”“<”或“=”。

2.45 元 ◯ 1.83 元　　2.68 元 ◯ 2.70 元　　7.09 元 ◯ 7.03 元

6.01 元 ◯ 6.10 元　　0.3 元 ◯ 0.07 元　　3.50 元 ◯ 3.5 元

练一练

1. 在○里填上“>”“<”或“=”。

1.25 元 ○ 2.4 元　　0.48 元 ○ 1.3 元　　0.05 元 ○ 0.50 元

3.06 元 ○ 3.60 元　　6.00 元 ○ 6.0 元　　4.59 元 ○ 4.58 元

2.

35×8	$81 \div 3$	45×3	$210 \div 3$
83×2	$630 \div 3$	72×5	$75 \div 5$

3. 到哪个商店买毛巾便宜？

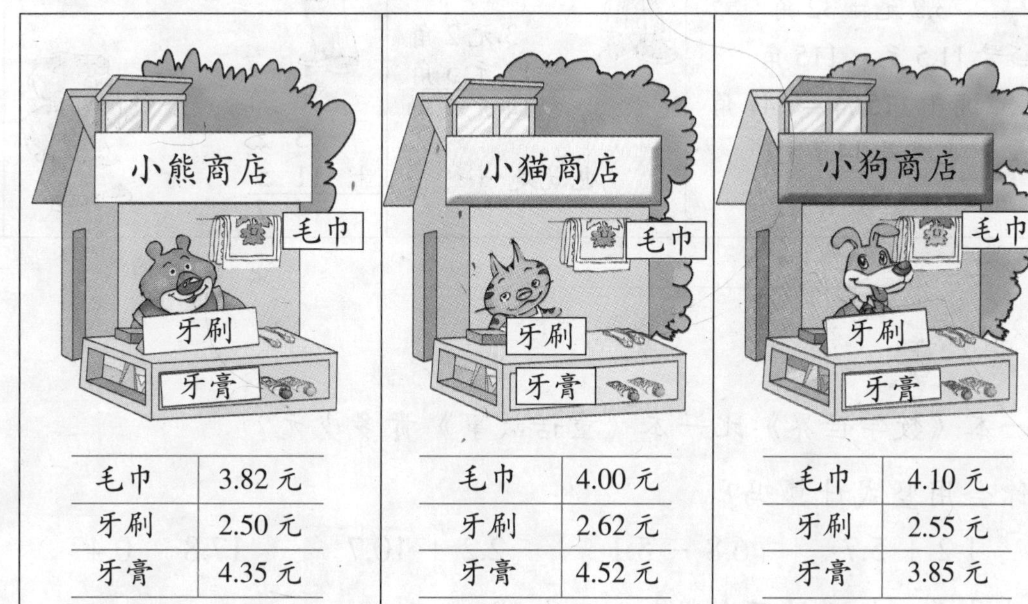

小熊商店	
毛巾	3.82 元
牙刷	2.50 元
牙膏	4.35 元

小猫商店	
毛巾	4.00 元
牙刷	2.62 元
牙膏	4.52 元

小狗商店	
毛巾	4.10 元
牙刷	2.55 元
牙膏	3.85 元

哪个商店去？

到商店调查3种商品的价格，做好记录。与同学比一比同类商品的价格。

商品			
价格			

买书

淘气在书店买了一本《童话故事》，花了3.2元。他又买了一本《数学世界》，花了11.5元。淘气一共花了多少元？

______ ◯ ______ ＝ ______ （　　）

答：________________________。

试一试

1. 一本《数学世界》比一本《童话故事》贵多少元？

2. 你会用竖式计算吗？

1.2 ＋ 5.7　　6.8 － 5.1　　2.2 ＋ 10.7　　17.8 － 0.4

3. 对对碰：相碰的两个数相加、相减。

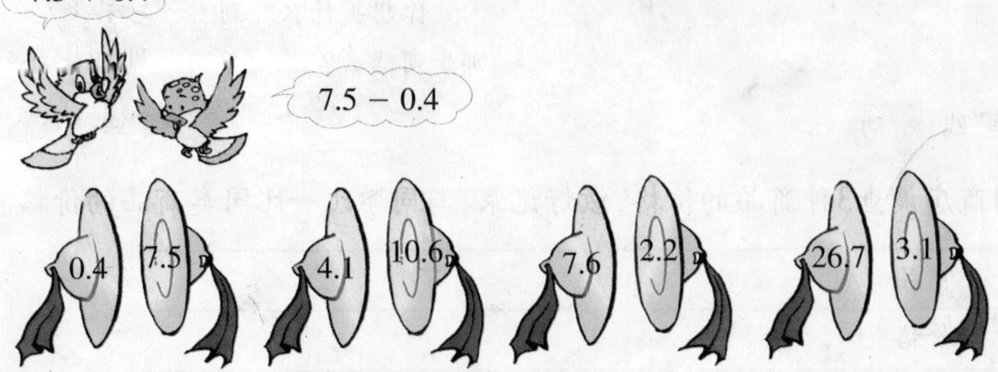

练一练

1.

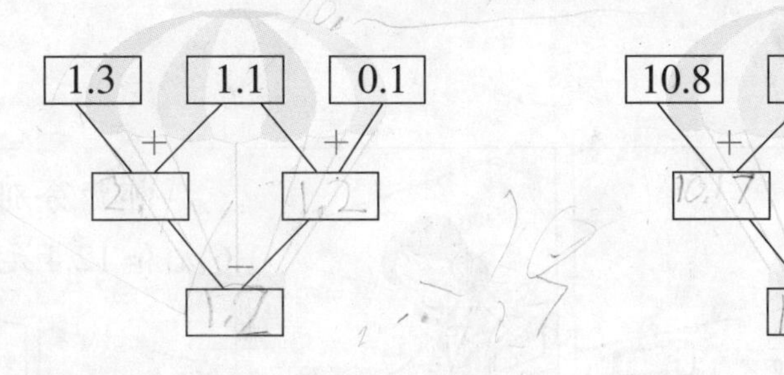

2. 2.5 + 0.2　　3.9 − 2.9　　6.8 + 3.1

2.7 − 2.0　　6.5 + 3.0　　2.3 − 2.2

3. 森林医生。

$$\begin{array}{r} 3.5 \\ +\quad 4 \\ \hline 3.9 \end{array} \qquad \begin{array}{r} 12.6 \\ +\ 3.2 \\ \hline 4.46 \end{array} \qquad \begin{array}{r} 27.9 \\ -\ \ 1.2 \\ \hline 26\ 7 \end{array}$$

4.

(1) 买一个玻璃杯和一个塑料杯共多少元？

(2) 买一个陶瓷杯比买一个玻璃杯少花多少元？

(3) 三种杯各买一个，30 元够吗？

(4) 你还能提出哪些数学问题？

寄书

______ ○ ______ = ______ （　　）

 1.6 元 = 16 角 12.4 元 = 124 角 16 角 + 124 角 = 140 角 也就是 14 元。	 1 元 + 12 元 = 13 元 6 角 + 4 角 = 10 角 = 1 元 1.6 元 + 12.4 元 = 14 元	元　角 $\begin{array}{r} 1\ .\ 6 \\ +\ 12\ .\ 4 \\ \hline 14\ \cancel{.\ 0} \end{array}$  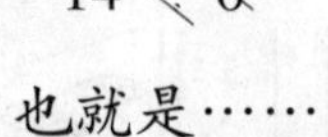也就是……

计算时要注意什么？

答：________________。

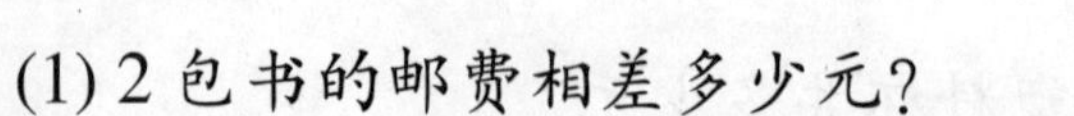
(1) 2 包书的邮费相差多少元？

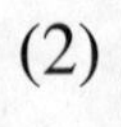
(2)

1.3 + 6.7	10.5 + 9.7	5.3 − 4.8
5.8 − 3.9	8.9 + 10.2	20 − 6.6

练 一 练

1. $1.8+3.5$　　$6.1-5.8$　　$13.5+10$　　$20.5+30.8$

$5-2.3$　　$15.3-4.4$　　$8.3+6.7$　　$5.9+10.8$

2.  森林医生。

$$\begin{array}{r} 11.5 \\ +\ 2.7 \\ \hline 13.2 \end{array} \qquad \begin{array}{r} 28.6 \\ -\ 2.7 \\ \hline 1.6 \end{array} \qquad \begin{array}{r} 10 \\ -\ 3.2 \\ \hline 7.8 \end{array}$$

3. 

21.8 元

14.5 元

小明想买这两本书，他只有40元钱，够吗？

4. 妈妈买笔花了15.8元，还剩下34.2元，妈妈带了多少钱？

5. 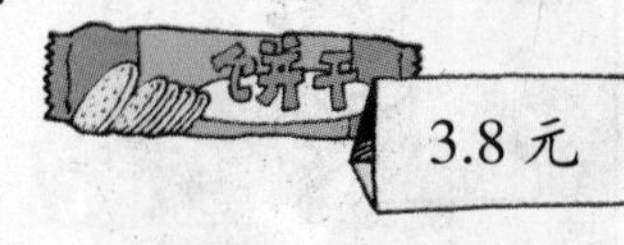

3.8 元

1.2 元

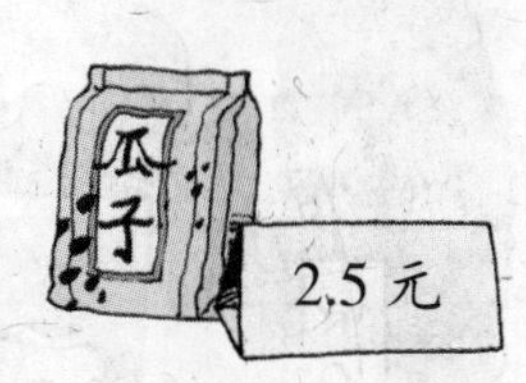

2.5 元

6.5 元

4.6 元

0.8 元

（1）饼干和瓜子一共多少元？

（2）果冻比薯片贵多少元？

（3）小青有5元钱，可以买什么？还剩多少钱？

（4）你还能提出哪些数学问题？

森林旅游

你想买什么？需要多少元钱？

1. 找一找生活中的小数，并与同伴说一说。

2. 调查自己家两个月水费、电费开支情况，并记录下来。

项目 月份	水费/元	电费/元	合计/元
（ ）月			
（ ）月			
合 计			

通过分析数据把你的感受与同伴说一说。

二 对称、平移和旋转

对称图形

折一折，剪一剪

对称轴

按照虚线对折　　画出图形　　剪下后打开

这样的图形是对称图形。

猜一猜，剪一剪

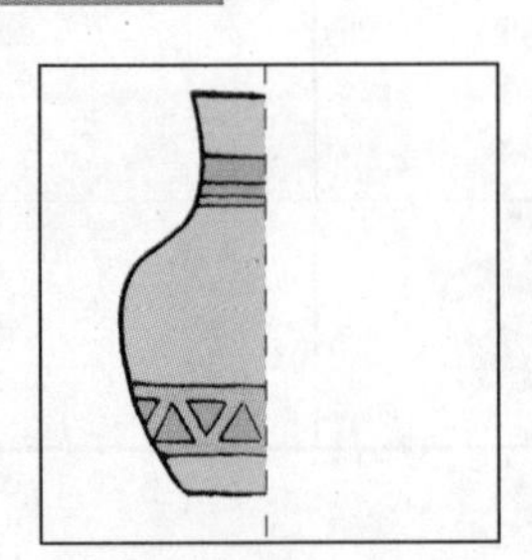
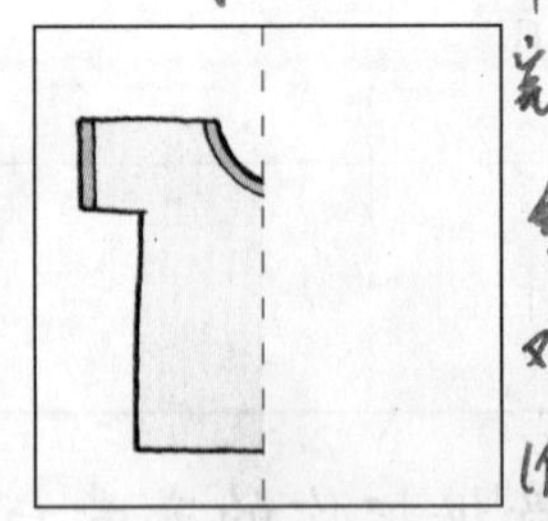

(1) 上面是对称图形的一半，这些图形是什么？

(2) 你能剪出这些图形吗？利用附页 1 中的图 2 试一试，并与同伴说一说。

看一看，说一说　下面哪些图形是对称图形？

你知道吗

我国是一个多民族的国家，各族人民用自己的勤劳和智慧创造出优秀的民族文化。

布依族的蜡染

精美的壮锦

试一试

1. 下面哪些图形是对称图形？画“✓”。

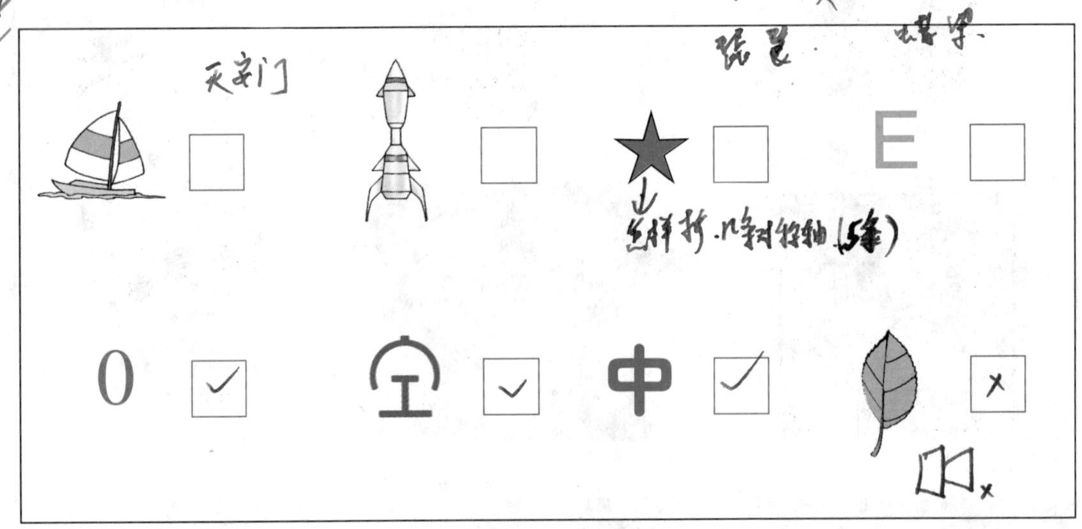

2. 试着在钉子板上围出对称图形，并与同伴说一说。

3. 在方格纸上按照图上给出的对称轴画对称图形。

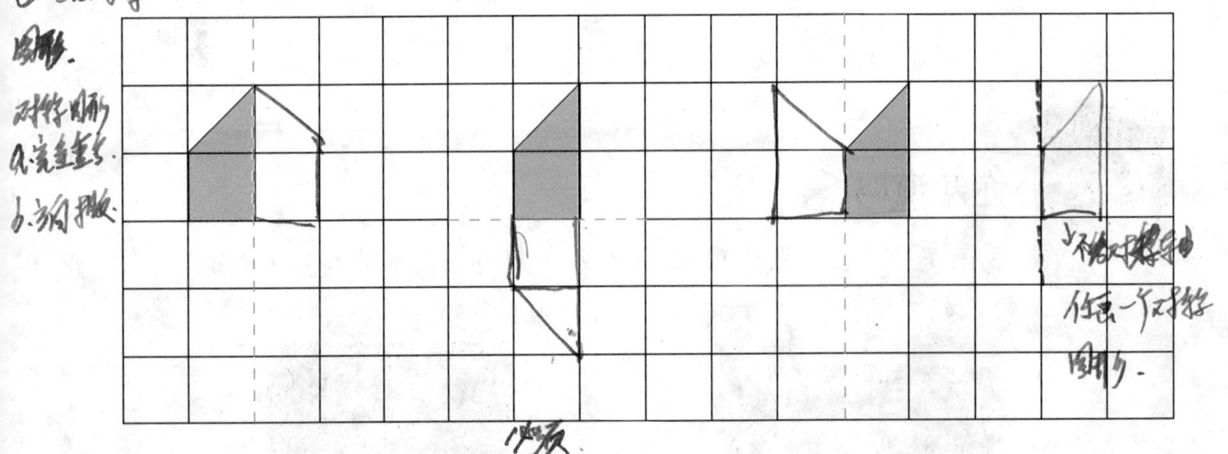

4. 剪一个自己喜欢的对称图形，在全班进行展览。

练一练

1. 找一找哪些字是对称的。

1+3=4　4×2=8　8-1=7

江山美如画

I LOVE CHINA

2. 在点子图上画出对称图形。

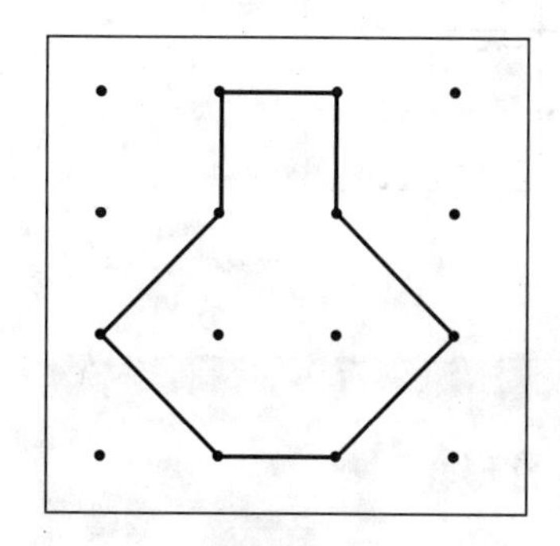

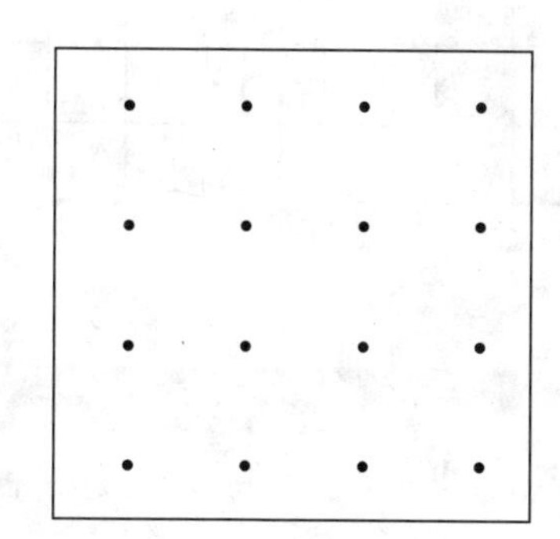

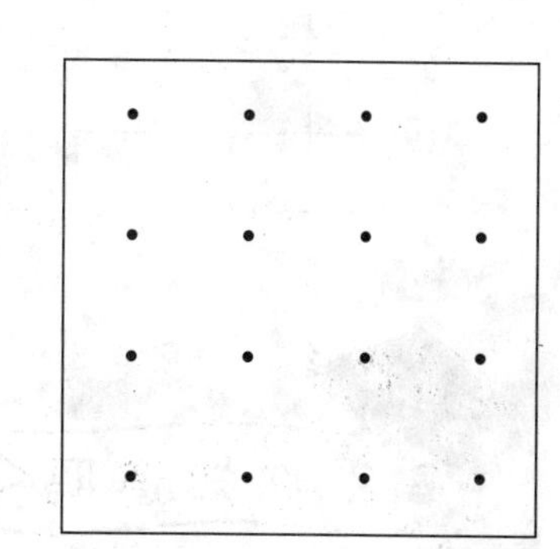

3. 摆出对称图形。

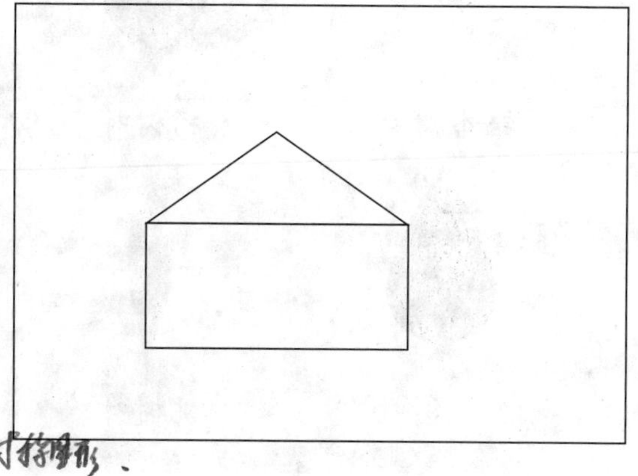

4. 在方格纸上画出对称图形，这些图形像什么？

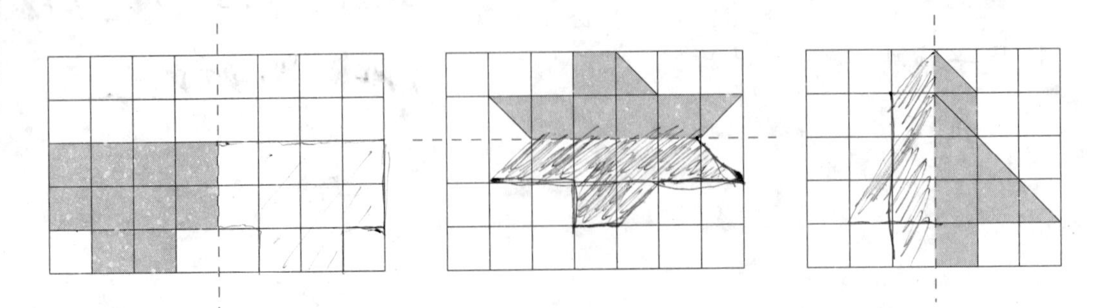

5. 画出下图的对称图形。

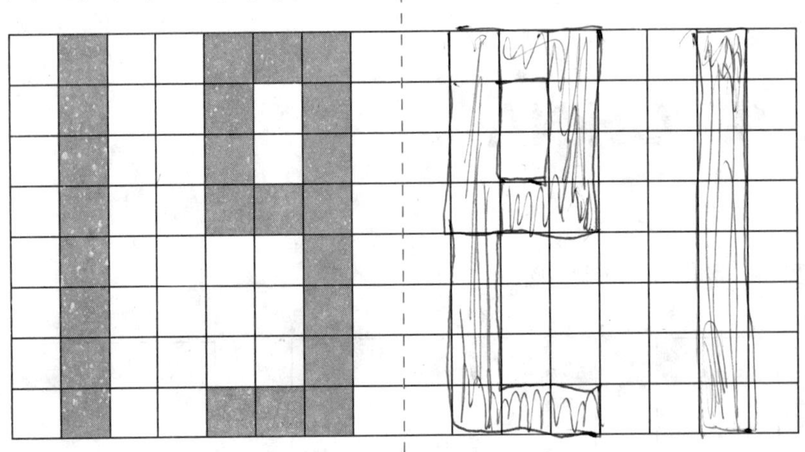

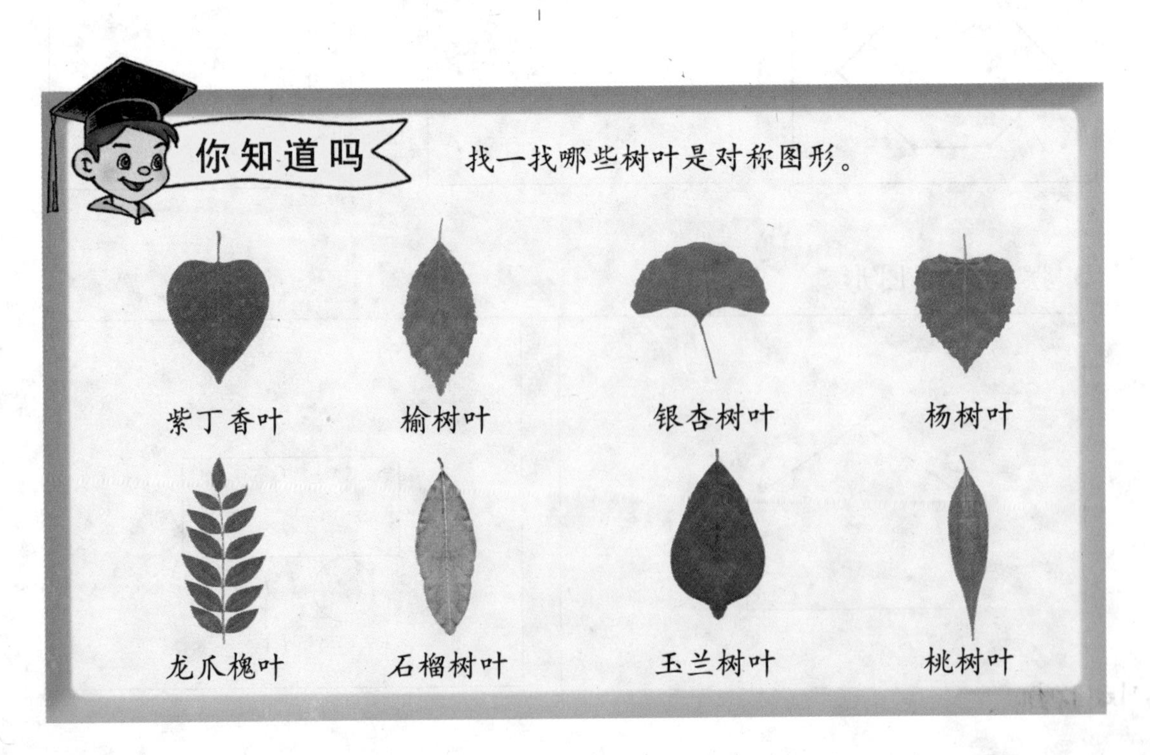

镜子中的数学

把镜子放在虚线上，看一看镜子里的图形和整个图形。

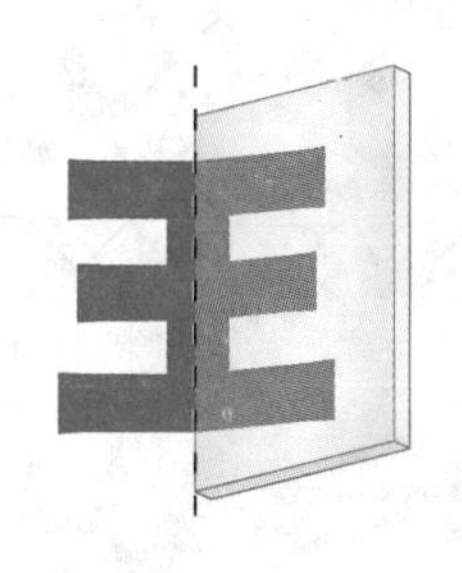

(1) 把镜子放在虚线上，看看整个图形是什么。

(2) 摆一摆，看一看，你发现了什么？

(3)

练一练

1. 从镜子中看到的左边图形的样子是哪个？画“✓”。

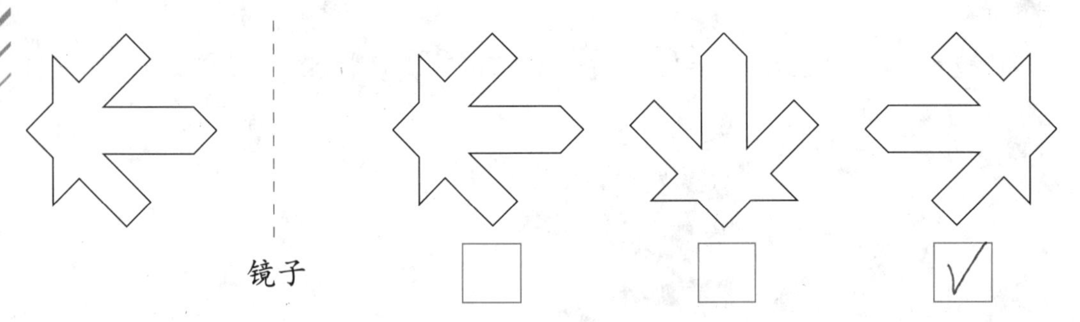

2. 把镜子放在图中适当的位置，使你仍能看到图的全部。

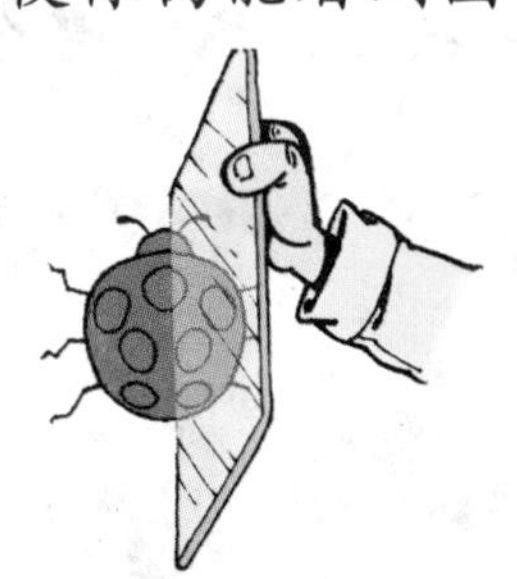

你也试试。

收集一些对称的图形、图案和照片，在班里展览。

你知道吗

自然界中，有许多对称的现象，如人和动物的外形都是对称的。

平移和旋转

(1) 物体的运动是平移的画“—”，是旋转的画“○”。

(2) 你还见过哪些平移和旋转运动？

做一做 试着做一个表示平移或旋转的动作。

(1) 移一移，说一说。

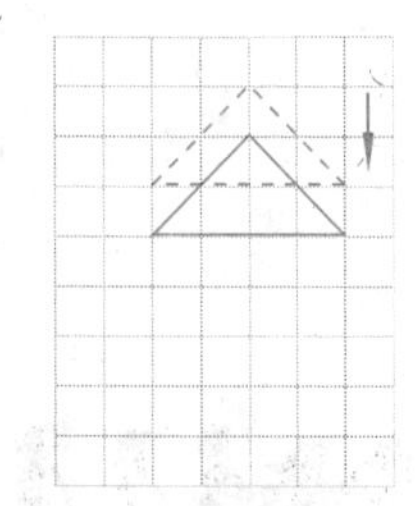
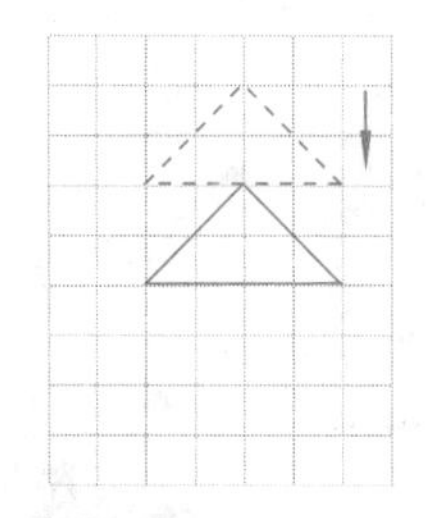
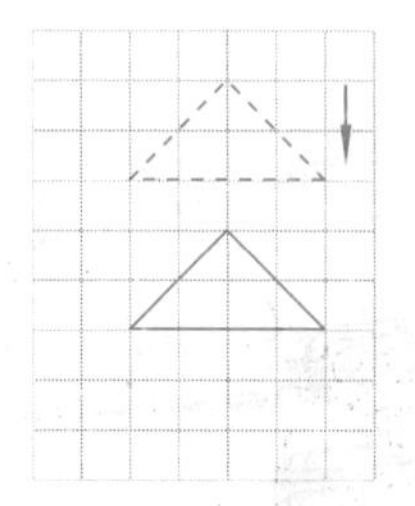

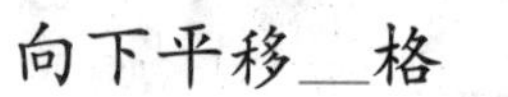

向下平移__格　　向__平移__格　　向__平移__格

(2) 填一填。

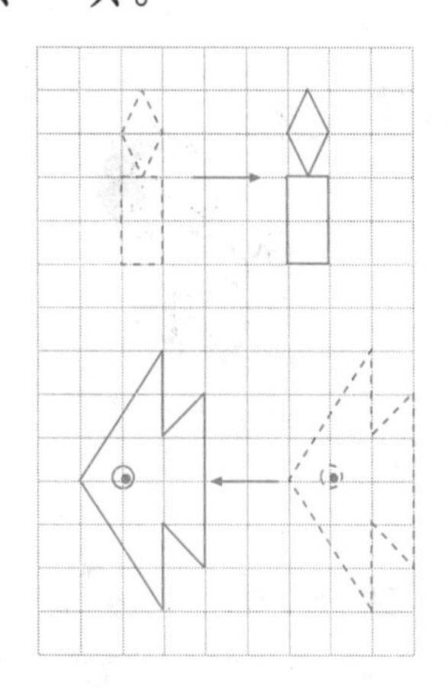

蜡烛向右平移了____格。

小鱼向____平移了____格。

(3) 画一画。

向上平移3格。

向右平移3格。

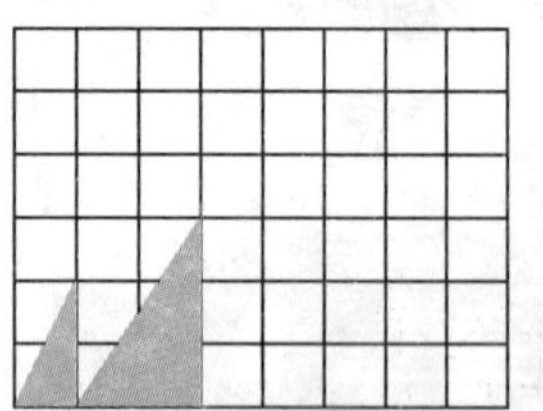

你知道吗

古老的上海音乐厅整体平移了约66米。

练一练

1. 物体的运动是平移的画“－”，是旋转的画“○”。

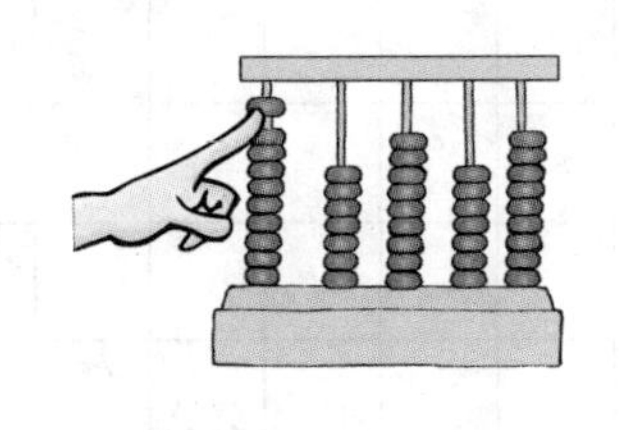

2. 填一填。

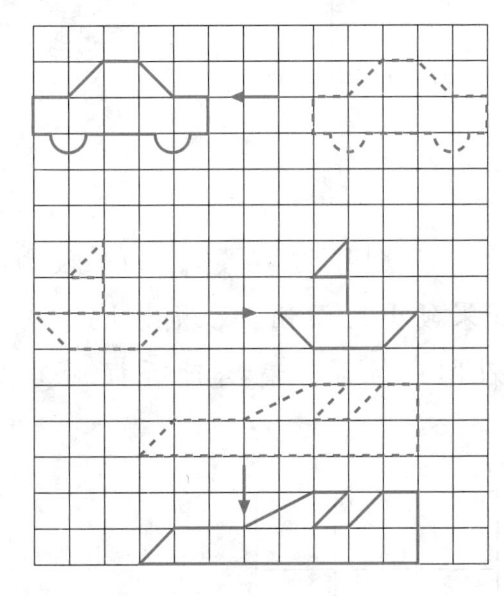

小汽车向____平移了____格。

小轮船向____平移了____格。

小飞机向____平移了____格。

3. 画出房子向左平移3格后的图形。

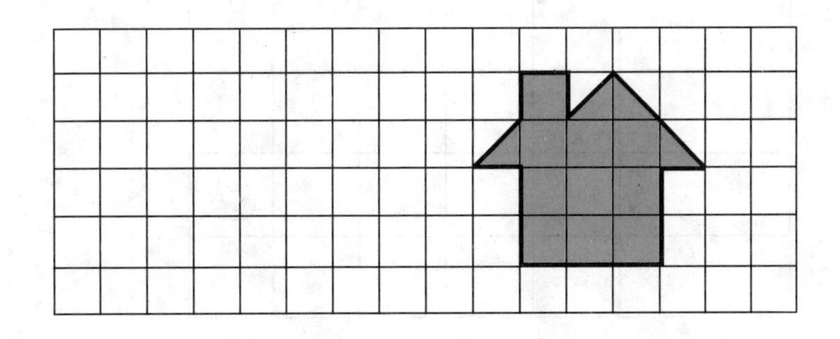

数学游戏

(1) 猜猜我在哪儿。

我把棋子先向东平移2格，再向南平移3格，最后向西平移5格。

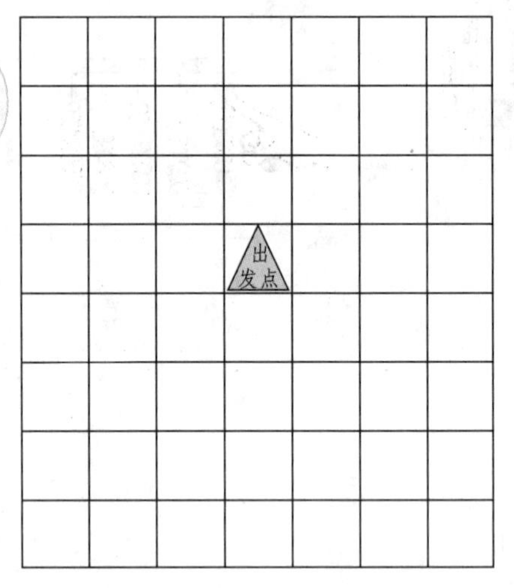

(2) 猫捉老鼠。

下面是棋盘，两人轮流掷硬币，分别移动猫、鼠。如果硬币正面朝上，可以平移一格或两格；如果硬币反面朝上，则原地不动。

剪下附页1中的图3，猫、鼠放在图中位置，看猫能否捉到鼠，与同桌玩一玩。

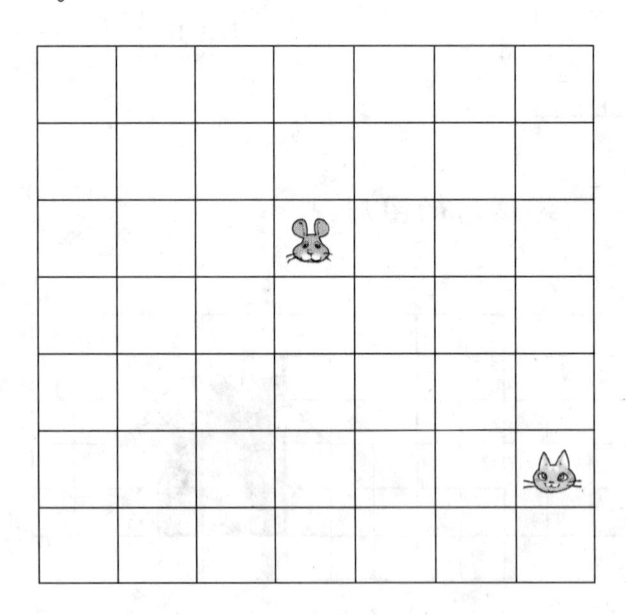

欣赏与设计

说一说

(1) 上面每幅图的图案是由哪个图形平移或旋转得到的？把这个图形涂上颜色。

(2) 上面哪幅图案是对称的？

画一画

(1) 画出下面图形的对称图形。

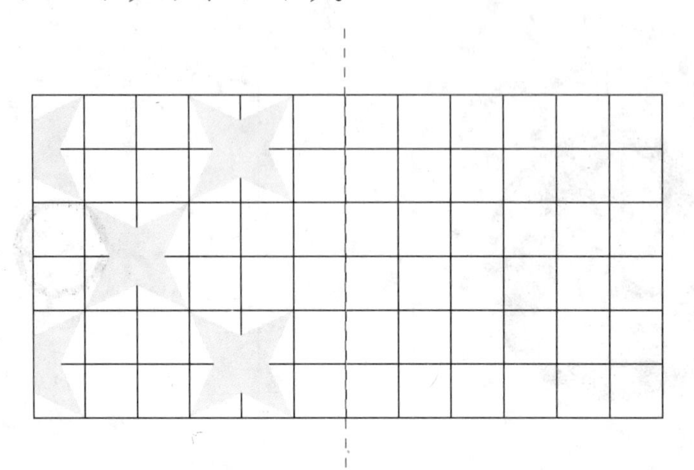

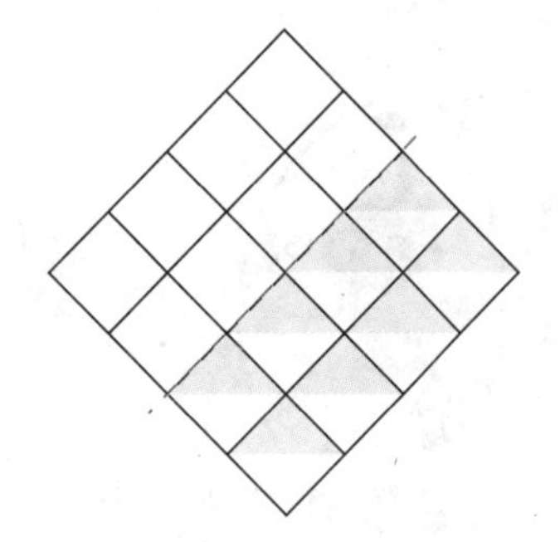

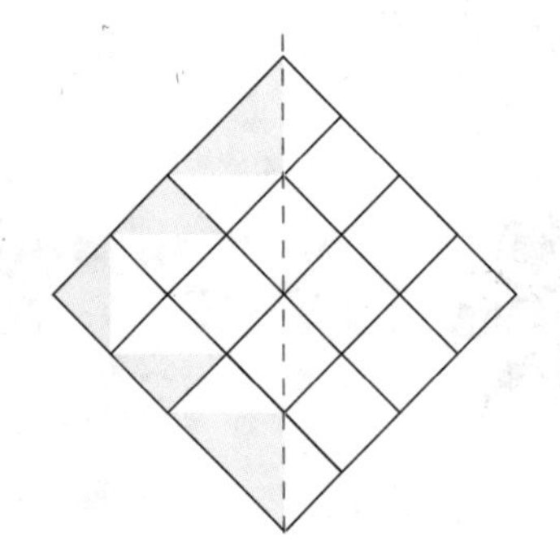

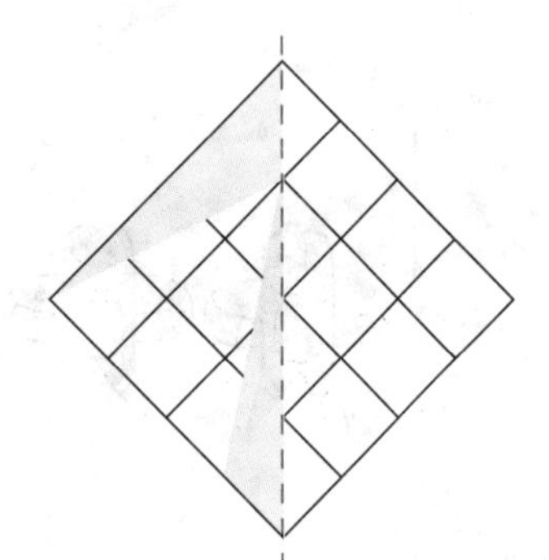

(2) 继续画下去。

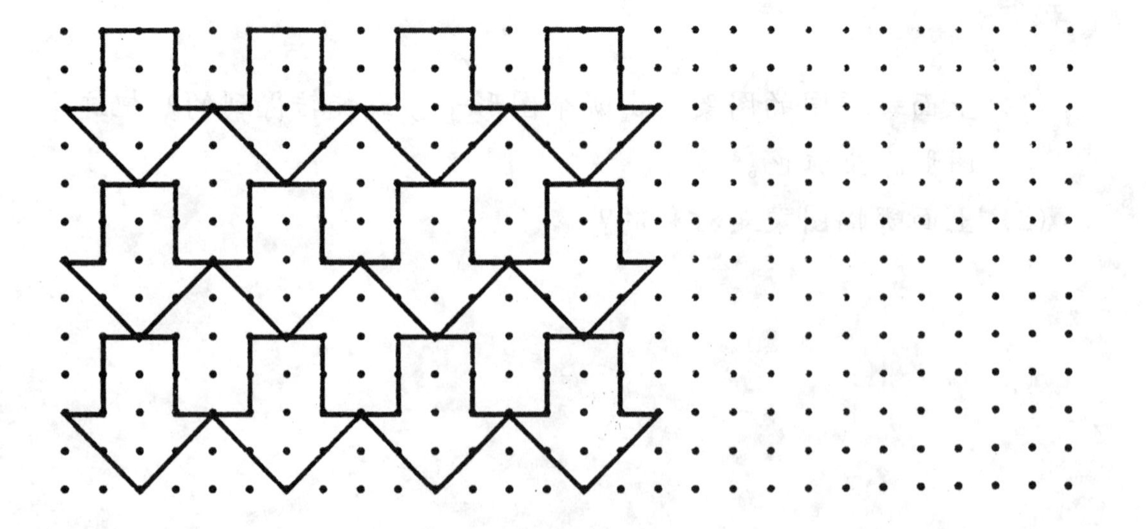

练 一 练

1. 将树叶平移或旋转，在格子纸上绘制你喜欢的图案。

2. 用附页2中的图4通过对称、平移或旋转设计图案，并与同伴说一说。

（1）收集一些图案，在小组内说一说。

（2）用纸剪出一个你喜欢的图形，通过对称、平移或旋转绘制一幅图案。

做一做

(1) 制作“雪花”。

取一张正方形的纸。

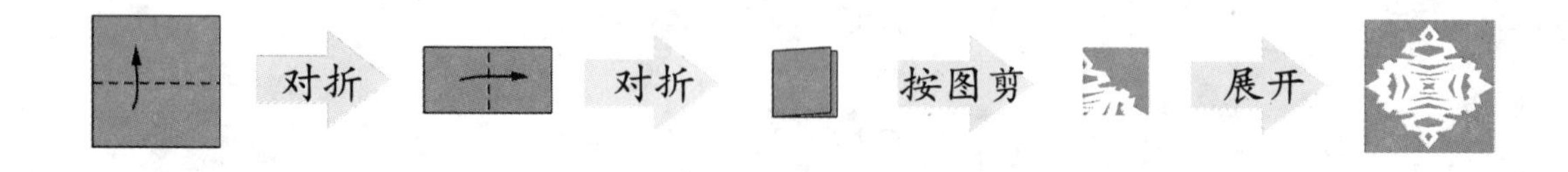

将纸展开，你就有一朵“雪花”了！再做一朵。经过多次练习之后，你的手艺就会越来越好。

(2) 按照下面的步骤做一做。

三　乘　法

找规律

算一算

5×1	3×2	12×4
5×10	3×20	12×40
50×10	30×20	120×40

1. 10箱有多少瓶？20箱有多少瓶？30箱呢？

箱数	1	10	20	30
瓶数				

2.

40×40	30×80	24×30	15×50
60×20	50×20	13×20	28×20

练一练

1.

乘数	30	20	27	50	26	18
乘数	10	30	20	30	30	50
积						

2. 写一写。

(　　　) × (　　　) = 800　　　　(　　　) × (　　　) = 1260

3.

4.

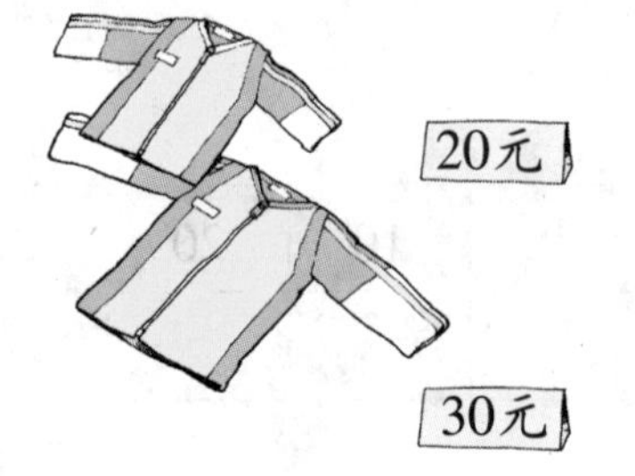

买大号运动服25套，小号运动服45套。

(1) 两种运动服各付多少钱？

(2) 一共应付多少钱？

5.

$22 + 12 \times 20$　　　　$45 \times 20 + 100$

$(28 + 12) \times 30$　　　　$30 \times 23 - 60$

$200 - 15 \times 10$　　　　$28 + 12 \times 30$

整理书

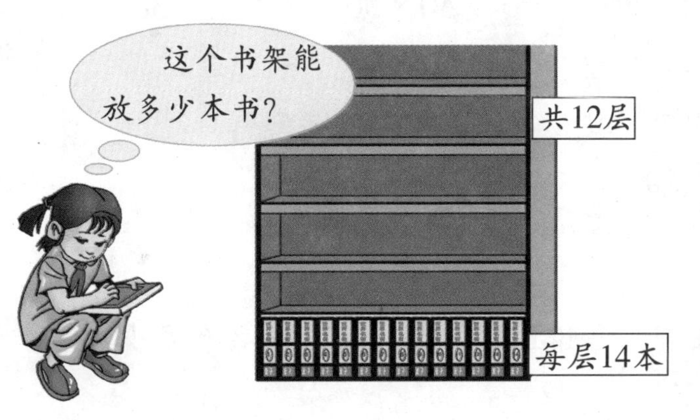

_____ ○ _____ = _____ （本）

$14\times10=140$
$14\times2=28$
$140+28=168$

12×14
$=12\times2\times7$
$=24\times7$
$=168$

$$\begin{array}{r} 14 \\ \times\ 12 \\ \hline 28 \\ 140 \\ \hline 168 \end{array}$$

……14×2
……14×10
……$28+140$

答：____________________。

11×43　　24×12　　44×21

练一练

1. 60×3　　14×3　　17×30　　45×2

   60×30　　14×30　　50×50　　36×20

2. 11×11　　32×13　　34×21

   12×11　　23×12　　22×43

3. 同学们进行体操表演，每排12人，有12排，一共有多少人？

4.

(1) 买椅子花多少元？

(2) 买桌子花多少元？

(3) 一共花多少元？

5. 11×11　　12×11　　13×11　　14×11

   15×11　　16×11　　17×11　　18×11

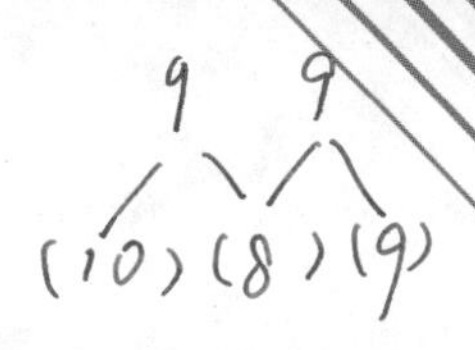

电影院

想一想 电影院的座位够吗？

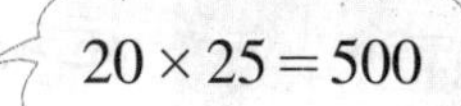

你是怎么想的？

算一算 这个电影院一共有多少个座位？

_____ ○ _____ ＝ _____（个）

$26\times20=520$

$26\times1=26$

$520+26=546$

26×21

$=26\times3\times7$

$=78\times7$

$=546$

可以用竖式计算吗？

$$\begin{array}{r} 26 \\ \times\ 21 \\ \hline 26 \\ 52 \\ \hline 546 \end{array}$$

答：____________________。

试一试 24×28 5×36 35×43

练一练

1. 6×30　16×70　30×12　7×90

60×7　25×60　35×20　50×12

2.
$$\begin{array}{r}23\\ \times15\\ \hline\end{array}\quad\begin{array}{r}42\\ \times26\\ \hline\end{array}\quad\begin{array}{r}74\\ \times14\\ \hline\end{array}\quad\begin{array}{r}35\\ \times16\\ \hline\end{array}$$

3. 

第17届世界杯足球赛有32支球队参加，每队可报23名运动员，共有多少名运动员参加？

4. 一个坏了的水龙头每分要白白流掉68克水，1时要浪费掉多少克水？

5. 38×12　32×16　61×34　38×25

56×24　37×18　42×28　18×23

6. (1) 计算。

$2\times25=$	$100\div4=$
$4\times25=$	$200\div4=$
$6\times25=$	$300\div4=$
$8\times25=$	$400\div4=$

(2)观察上述算式，想一想计算16×25与$600\div4$有什么新的办法。

练 习 一

1. 20×6　　35×20　　23×30　　20×18

31×30　　50×80　　50×20　　25×60

2. 选数填空。

10　20　30　40　50　60　70　80

（　　）×（　　）＝800　　（　　）×（　　）＝1200

（　　）×（　　）＝3500　　（　　）×（　　）＝4200

（　　）×（　　）＝2800　　（　　）×（　　）＝2400

3. 一架飞机每分飞行21千米，每时飞行多少千米？

4. 教师旅游团有28人去游览世界公园，每张门票60元，应付多少元？

5. 黄山小学有18个班，平均每班42人，共有多少人？

6. 哪把钥匙能开万宝箱？

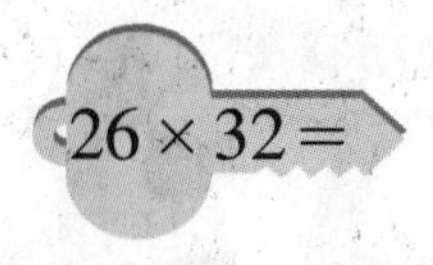

$14\times22=$

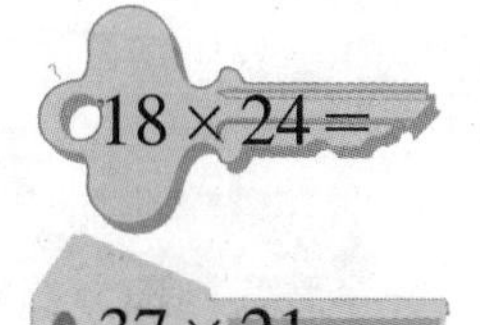

$34\times32=$

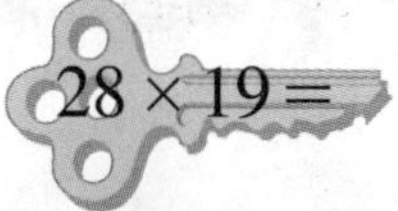

$37\times21=$

7. 判断对错。

54 × 24 = 4526 (　)　　37 × 84 = 318 (　)

12 × 35 = 442 (　)　　35 × 70 = 2450 (　)

8.

有10箱苹果汁，12箱橘子汁。

每箱24瓶，一共有多少瓶饮料？

9.

(1) 购儿童票需要多少钱？

(2) 这个旅游团成人有多少？购成人票需要多少钱？

(3) 一共花了多少钱？

10. 打开语文书，估计一页有多少字，再算一算。

11.

12.

$(25+38)\times 15$　　　　$(48+52)\div 2$

$125\times 8\times 3$　　　　$(62+12)\times 38$

$(59+187)\div 3$　　　　$25\times 8\times 9$

13. 小文今年11岁，爷爷的年龄是他的5倍多8岁，爷爷今年多大？

14. 光华小区新建了15栋楼房，每栋有6层，每层有8户，这个小区可容纳多少户人家？

15.

每张邮票8分。

将这些邮票都买下来，需要多少钱？

整理与复习（一）

你学会了什么 看图说一说。

我的成长足迹 与同伴说一说。

我解决了一个生活中的数学问题……

我学会了有条理地思考问题……

我读了一本有趣的数学读物……

练一练

1.

$0.4+0.5$　　$6.4+3$　　$1-0.6$

$1.2-0.8$　　$8.5-4.2$　　$3.9+1.5$

2.

76×14　　125×8　　38×18

$437\div6$　　$560\div5$　　24×77

3.

$25\times24+125$　　$23\times34-58$

$320+16\times27$　　$1500-125\times8$

4.

(1) 三年级和四年级分别捐了多少本书？

(2) 五年级捐了600本书，45本包成一包，包了13包，还剩几本书？

5. 有76个座位的森林音乐厅将举办音乐会，每张票15元。

(1) 已售出42张票，收款多少元？

(2) 剩余的票按每张12元售出，最多可以收款多少元？

旅游中的数学

出发

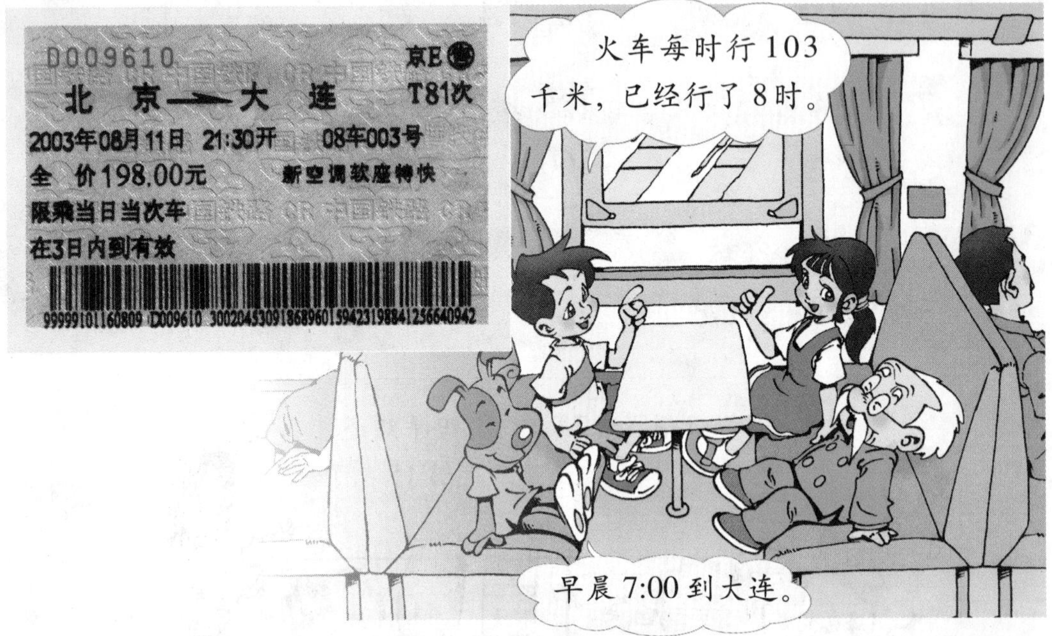

（1）从北京到大连还需要多长时间？

（2）从北京到大连约多少千米？

租房

（1）男生有13人，怎么租房最合算？

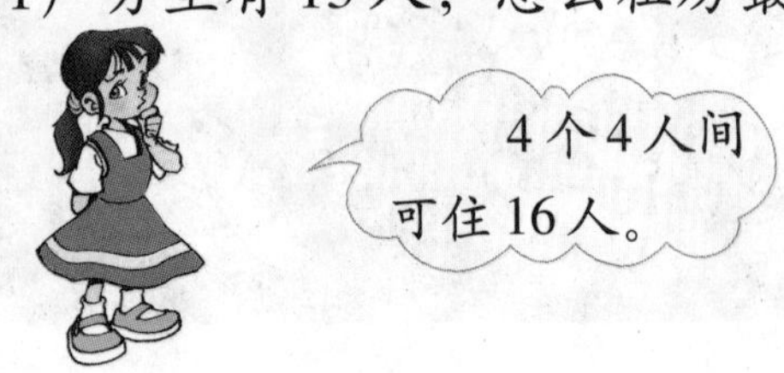

	4人间数	3人间数	可住人数	钱数/元
方案一	4			
方案二	3			
方案三	2			
方案四	1			
方案五	0			

(2) 女生有11人，怎样租房最合算？

(3) 一共需要几个4人间和几个3人间？

游览

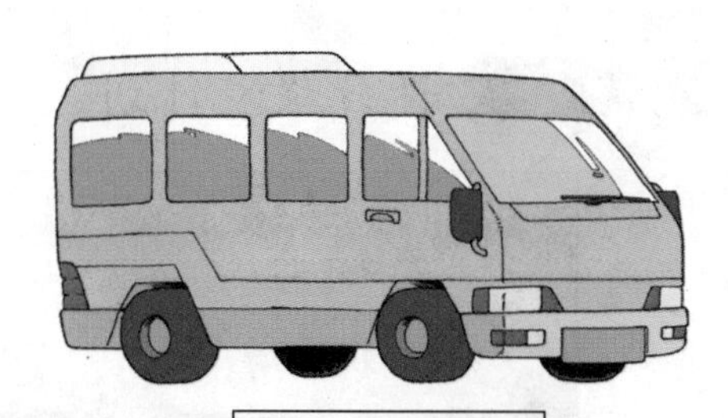

每辆120元
限乘客12人

每辆160元
限乘客18人

一家三口去快餐店，想吃什么，共花多少钱？把你的设计方案与同伴说一说。

名称					合计
价钱					

设计旅游计划。

讨论

如果你班同学去旅游，请你设计一个旅游计划，并在班级进行讨论。

(1) 景点和游览的路线。

(2) 乘车所需时间。

(3) 所需的总时间、每个景点的游览时间、所需的总费用、每个同学需要交纳的费用等。

(4) 同学喜爱的食品和游览时需要的物品等。

填一填，画一画

旅游计划

(1) 游览的景点：________________。

(2) 出发时间：__________，回来时间：__________，
乘车所需时间：__________，共需时间：__________。

(3) 查找资料画出旅游路线示意图。

(4) 估计费用。

交通	住宿	食品	门票	其他	合计

世界上海拔最高的山峰是珠穆朗玛峰，它大约有8848米高。

四　面　积

比一比

物体的表面或图形的大小就是它们的面积。

比一比　哪个图形的面积大？（把附页2中图5剪下）

画一画 在下面的方格里画3个面积等于7个方格的图形。

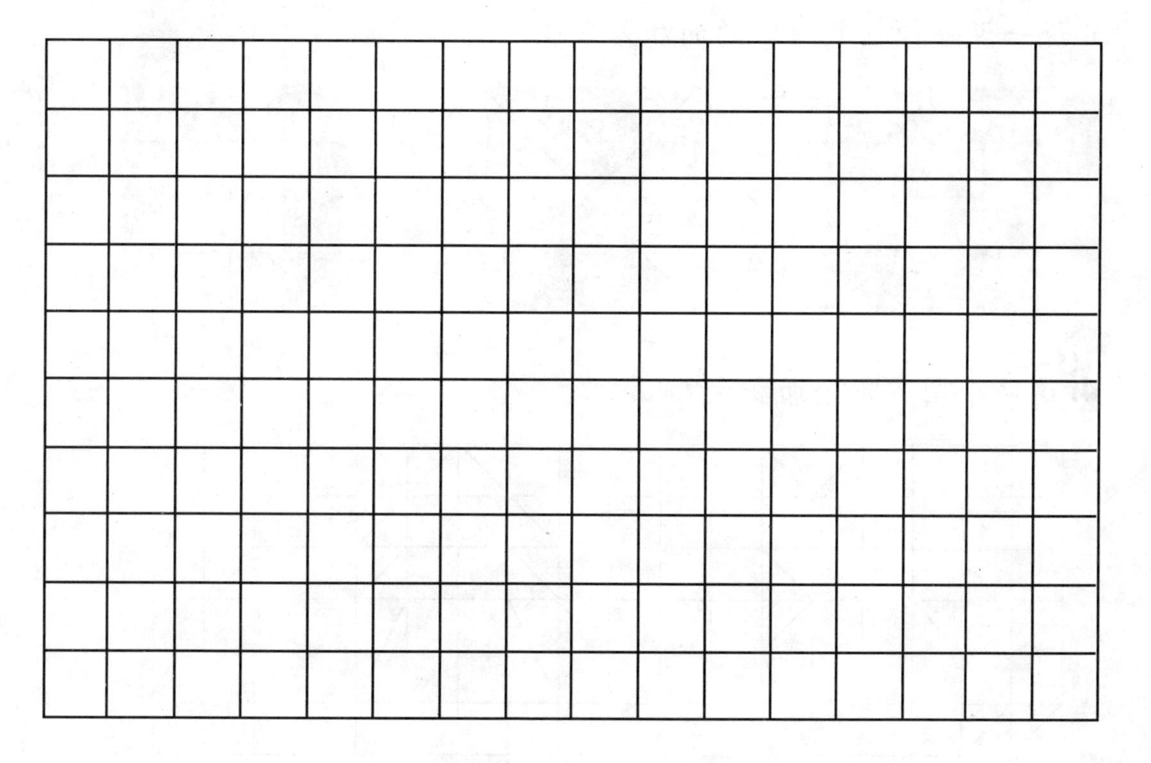

练一练

1. 下面方格中哪个图形面积大？

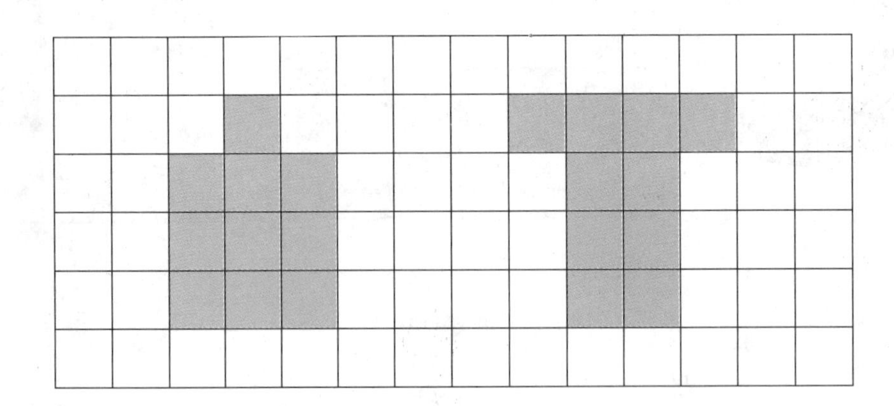

2. 说一说哪个图形的面积大，哪个图形的面积小。

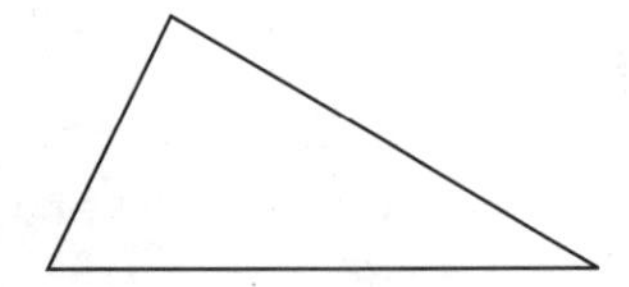

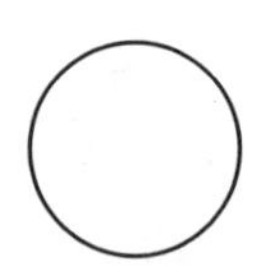

3. 说一说每种颜色图形的面积是多少。

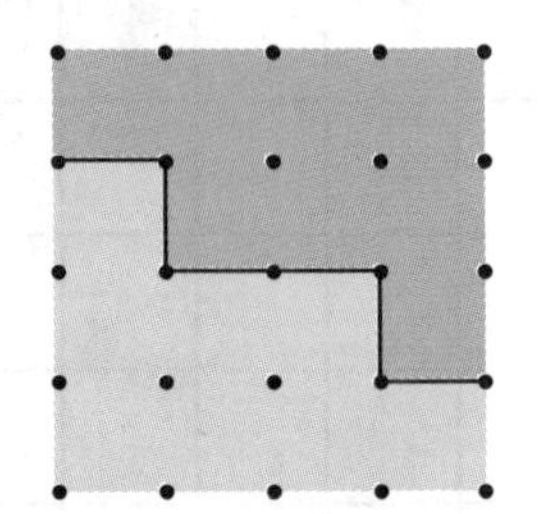

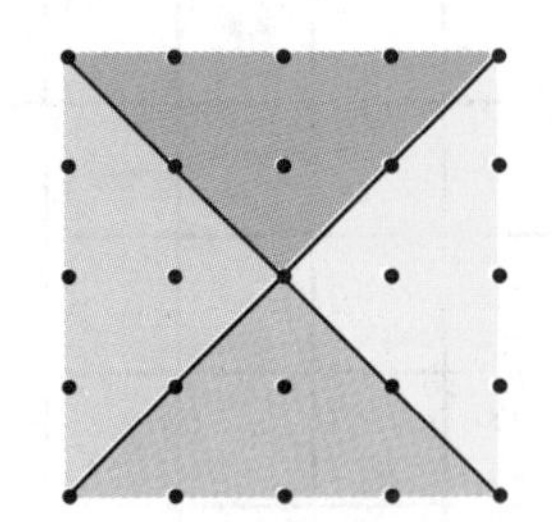

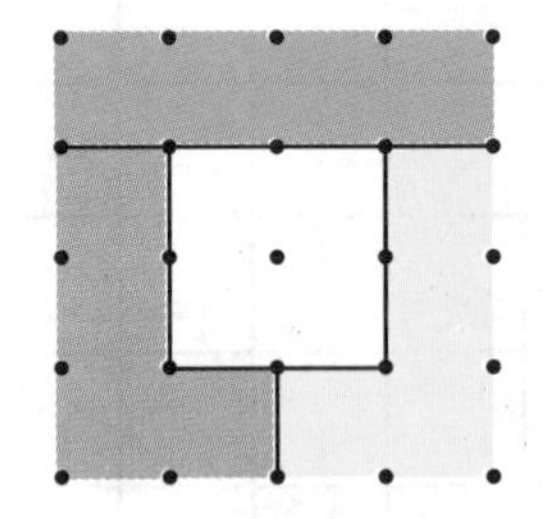

4. 这两个图案哪个面积大？

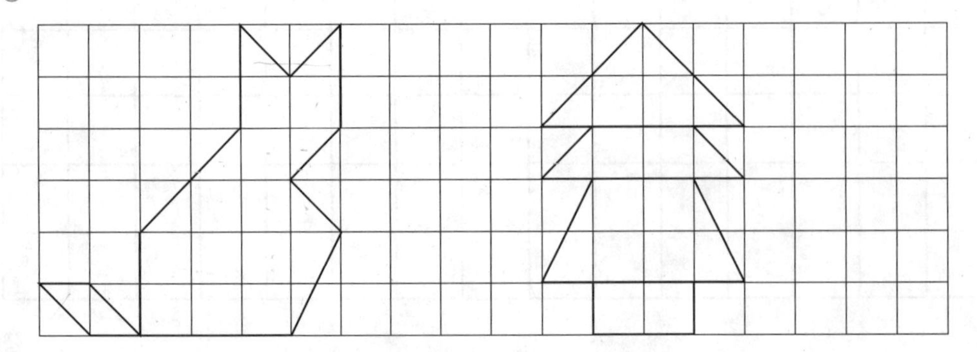

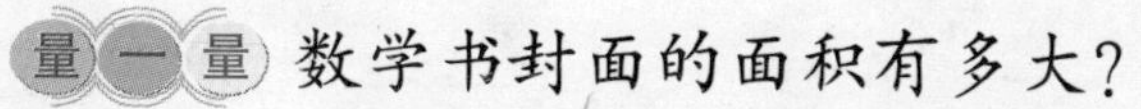

量一量 数学书封面的面积有多大？

6个小方格。

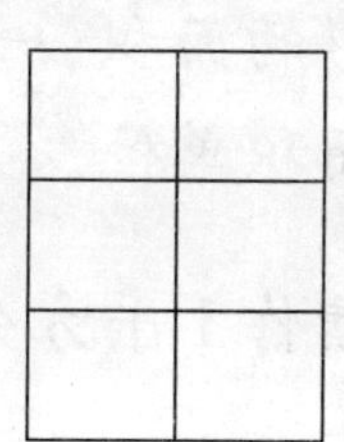

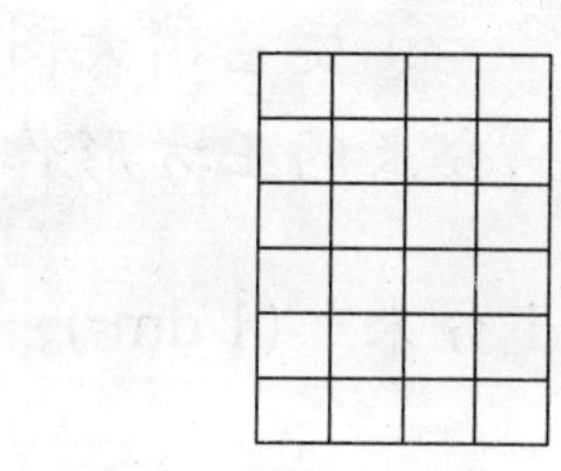

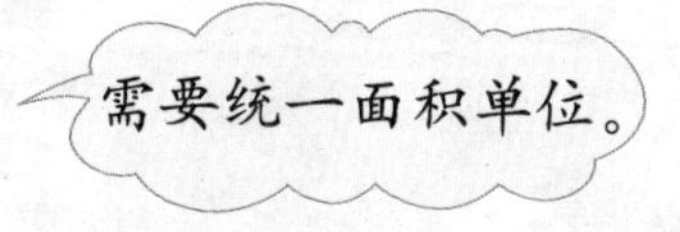

边长为1厘米的正方形面积是1厘米²。

1厘米² ($1\ cm^2$)，读作1平方厘米。

说一说

你身边哪些东西的面积大约是$1\ cm^2$？

我的大拇指指甲的面积大约是$1\ cm^2$。

估一估

数学书封面的面积大约是多少平方厘米？用格子纸量一量。

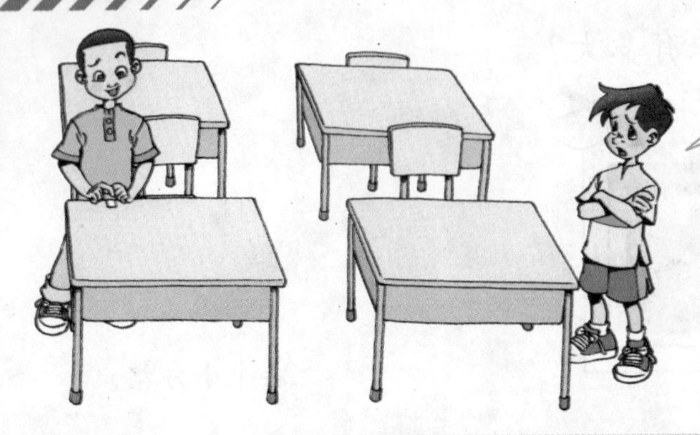

度量稍大图形的面积，一般以边长为1分米的正方形作面积单位。

1分米^2 (1 dm^2)，读作1平方分米。

剪一个面积是1 dm^2的正方形，量一量课桌面有多大。

1米^2 (1 m^2)，读作1平方米。

说一说 1米^{2}有多大？

练一练

1. 用适当的面积单位（cm^2，dm^2 或 m^2）填空。

（1）一间房屋地面的面积约50________。

（2）一张邮票的面积约6________。

（3）练习本的面积约212________。

（4）单人床的面积约2________。

（5）游泳池的面积约1250________。

2. 写出下面各图形的面积。（每格1 cm^2）

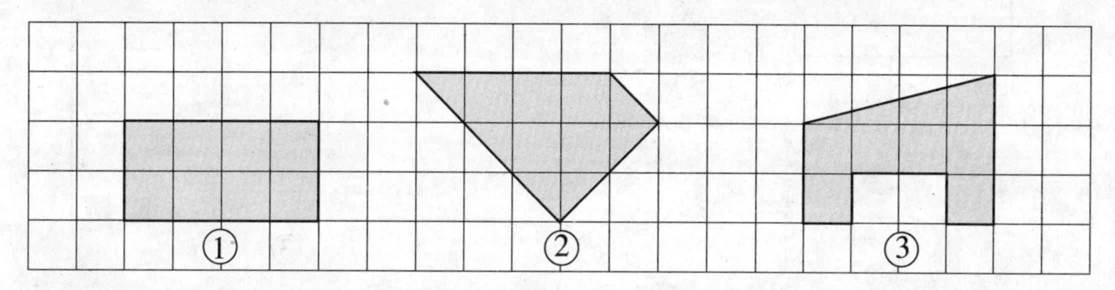

图①面积是__cm^2，图②面积是__cm^2，图③面积是__cm^2。

3. 先估计下面图形的面积，再剪下附页2中图6中的1 cm^2的面积单位量一量。

4. 先估计你的学校操场的面积，再调查一下。

摆一摆

估一估 估计下面图形的面积。

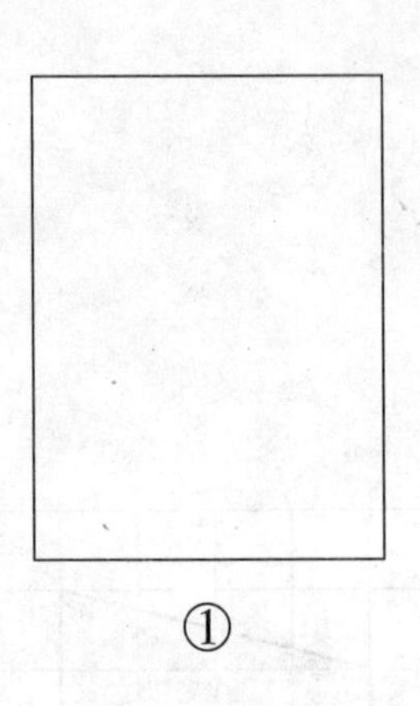

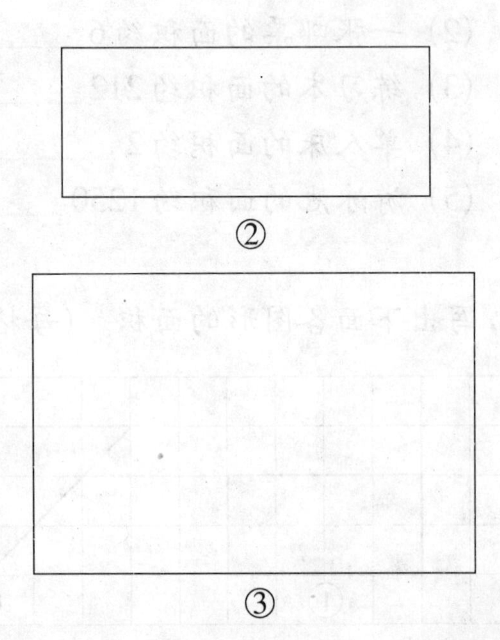

摆一摆，填一填

(1) 用 1 cm^2 的小正方形摆一摆。

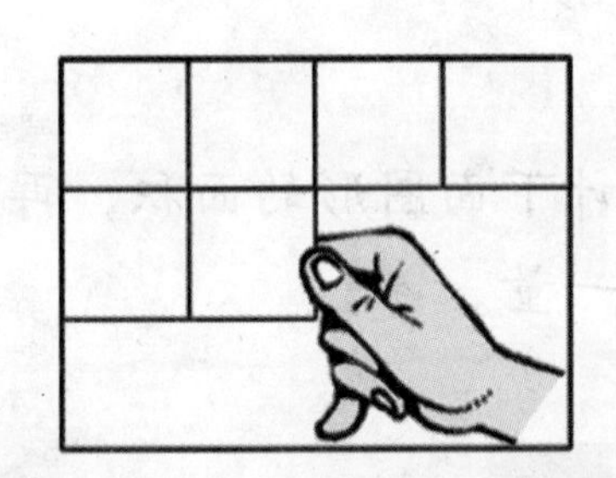

(2) 把结果记录下来。

	长/cm	宽/cm	面积/cm^2
图 ①			
图 ②			
图 ③			

你发现了什么规律？

长方形面积＝长×宽

用 1 cm^2 的正方形摆一摆，再算一算下面图形的面积。

练一练

1. 计算下面草地、花坛的占地面积。(单位：m)

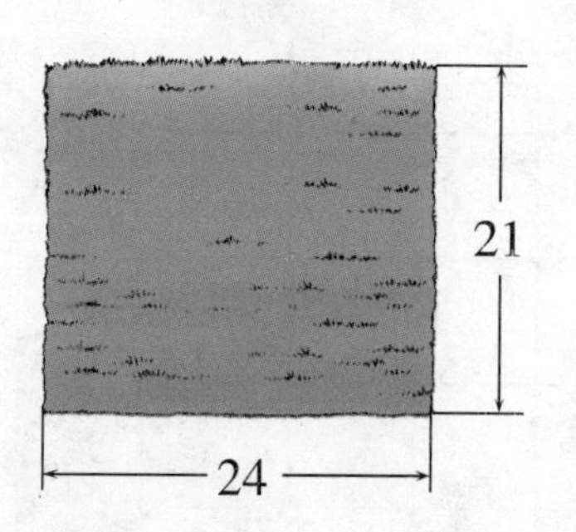

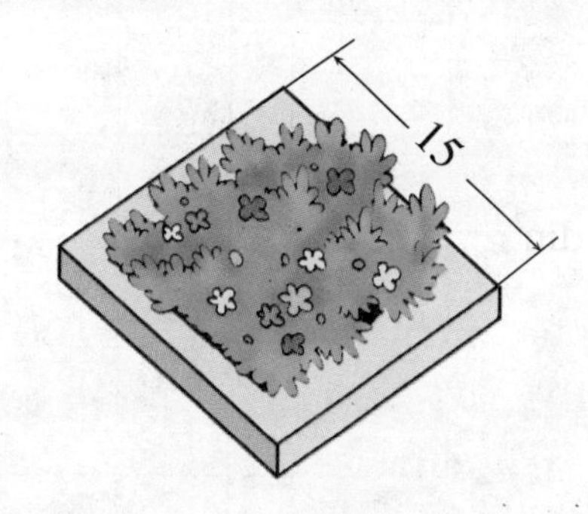

2. 估一估、量一量、算一算它们的面积。

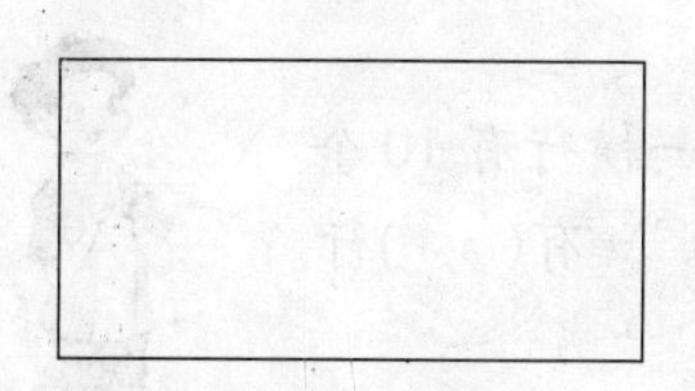

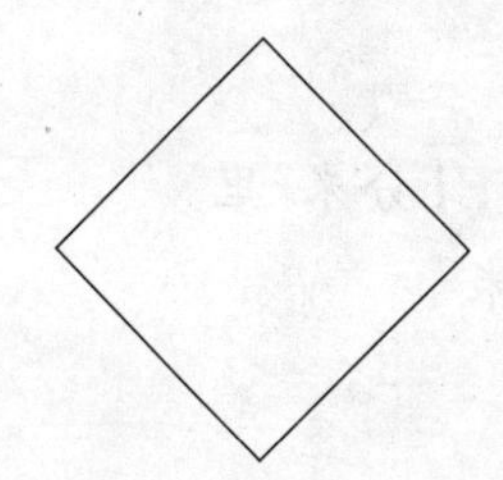

3. 小红的床长20分米，宽14分米，要铺上与床同样长的席子，这块席子的面积是多少平方分米？

4. (1) 用12个边长为1 cm的正方形纸板摆长方形，你能摆出几种？

(2) 估计教室地面的面积，测量它的长和宽，计算出面积。

铺地面

小明家卫生间有一块长5分米、宽5分米的地面损坏了，需要多少块面积是25厘米^{2}的方砖才能修补好？

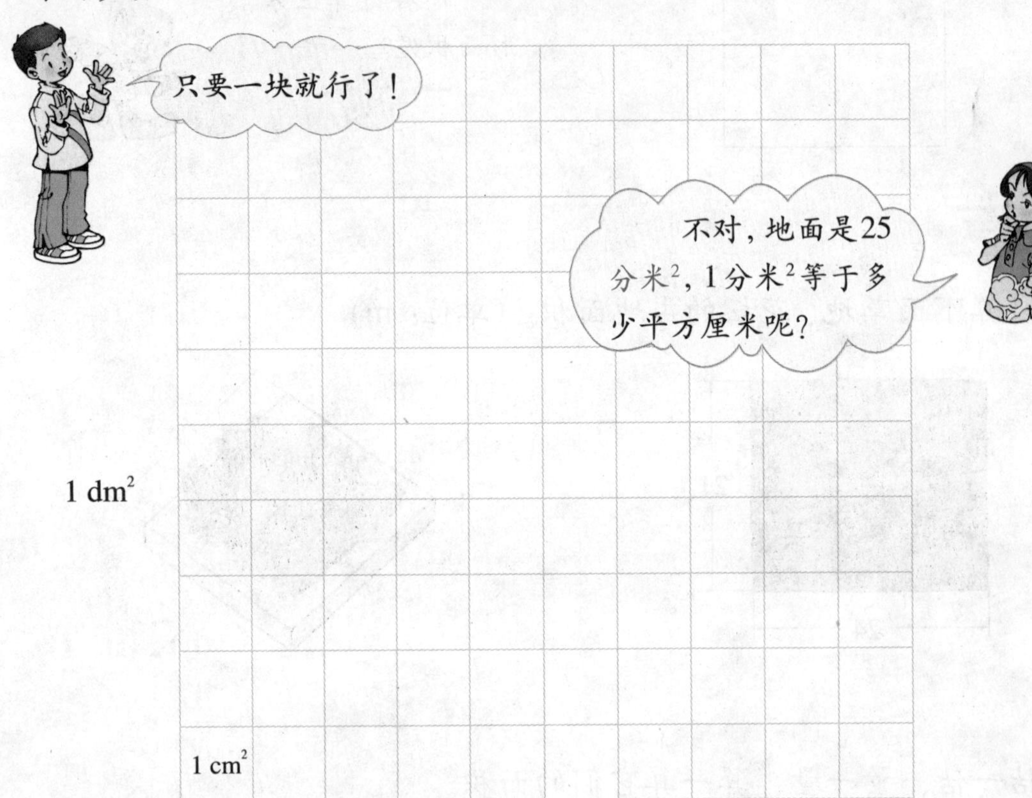

我估计，1分米^{2}里有(　　)厘米^2。

一横行有10个1厘米^2，有(　　)行。

填一填

$1\ \mathrm{dm}^2 =$ (　　) cm^2

$25\ \mathrm{dm}^2 =$ (　　) cm^2

想一想 1米^2 = (　　)分米^2。

1公顷有多大?

边长是100米的正方形面积是1公顷。

1公顷 = 10000 米^2

1千米^{2}有多大?

1千米^2 = 100公顷

练一练

1. 2米^2 = (　　) 分米^2　　　3分米^2 = (　　) 厘米^2

500厘米^2 = (　　) 分米^2　　400分米^2 = (　　) 米^2

2. 妈妈买来一块花布，长3米，宽6分米，它的面积有多大?

3. 王老师为小朋友准备一张长是43厘米、宽是37厘米的长方形彩纸，最多可以剪成面积是8厘米^{2}的纸多少张?

练习二

1. 选适当的单位填空。

(1) 一根跳绳长约 2 ____。

(2) 一间卧室的面积约为 22 ____。

(3) 一张报纸的面积约为 44 ____。

(4) 教室的门高约为 2 ____。

2.

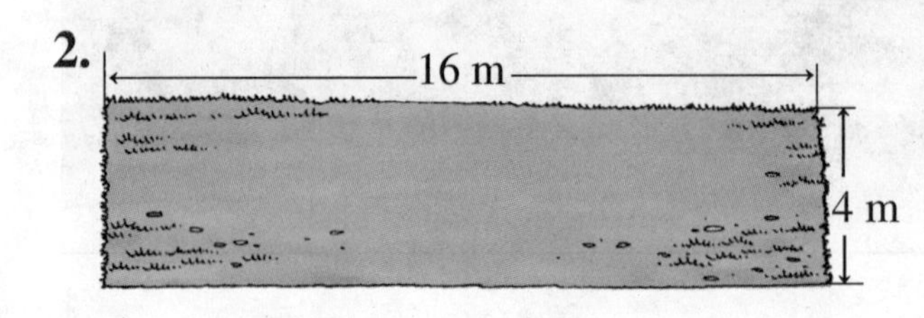

这块草地的面积是多少平方米？周长是多少米？

3. 边长为 12 厘米的正方形纸，可以剪成面积是 4 厘米^2 的小正方形多少个？

4.

一根铁丝正好能围成边长为 4 分米的正方形，如果用这根铁丝围成长方形，它的面积有多大？

5. 调查我国的陆地土地面积约多少平方千米。你能从地图上知道我国哪个省或自治区的面积最大吗？

6. 右图是铺了正方形地砖的客厅地面。

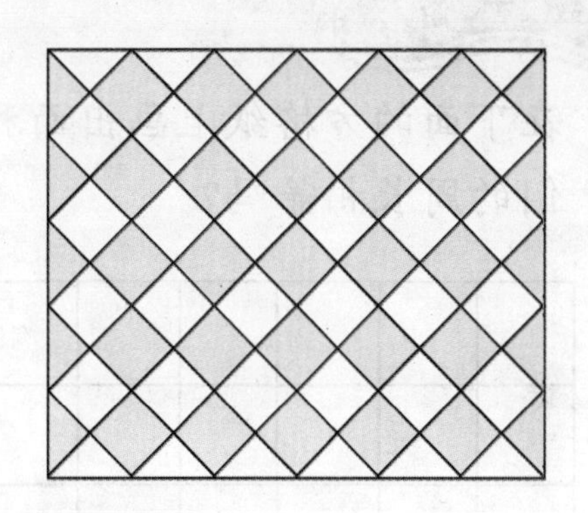

(1) 这个客厅共铺了多少块地砖？

(2) 如果每块地砖的边长为 5 分米，这个客厅的面积有多少平方米？

7.

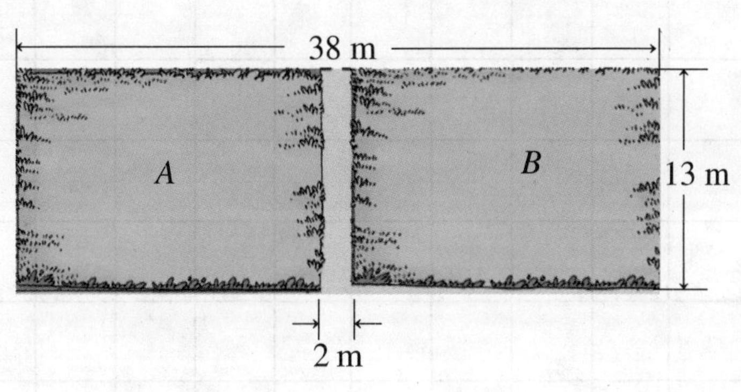

(1) 绿化面积是多少？

(2) 每块水泥砖是边长为 1 米的正方形，铺路共需多少块水泥砖？

8. 某足球场的长约是100米，宽约是50米，足球场的面积约是多少？

小调查 调查自己家房屋、院子或学校操场的面积，并在全班交流。

	长 / m	宽 / m	面积 / m^2

在下面的方格纸上画出面积是 $16\ \text{cm}^2$ 的图形，你能画出几种？它们的周长相等吗？

小明家的厨房要铺地砖,有两种设计方案。

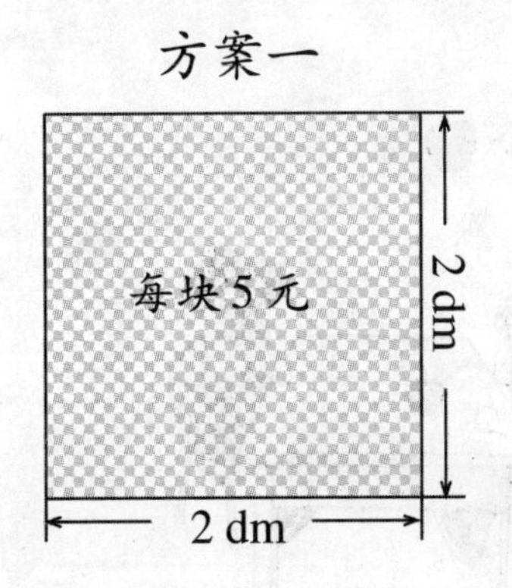

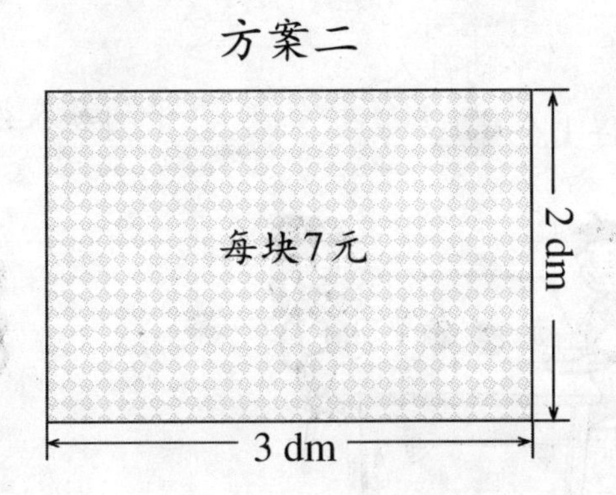

(1) 第一种设计用了 90 块地砖，计算这个厨房的面积。

(2) 第二种设计需要多少块地砖?

(3) 哪种设计比较便宜?

画一画

(1) 请你在每种图形的周围画几个与它相同的图形，使它们铺满整个长方形。

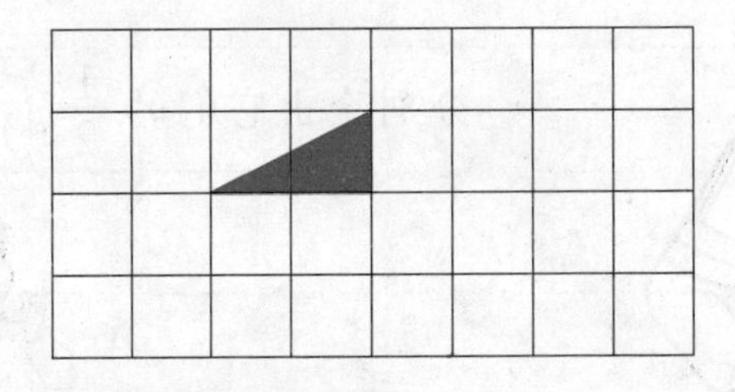

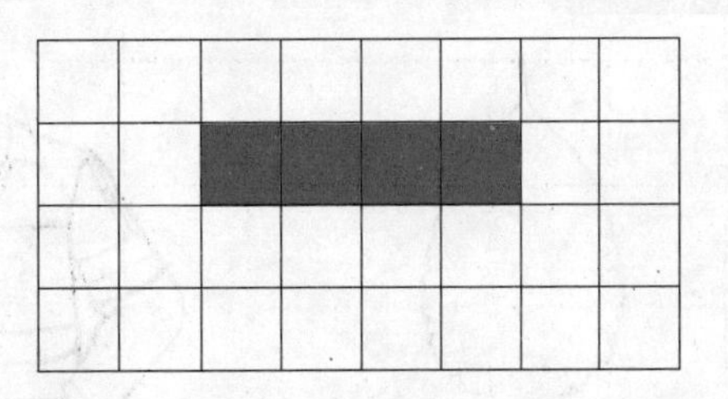

(2) 请你设计一种图案，使它们能够铺满这个长方形，并在班上展示。

五　认识分数

分一分（一）

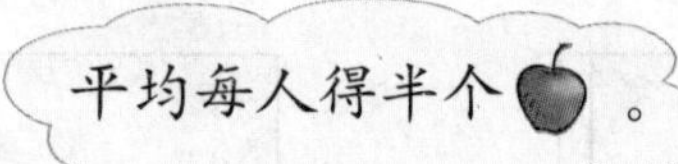

讨论

你能用什么方式来表示一半呢？

一半可以用$\frac{1}{2}$来表示。

涂一涂

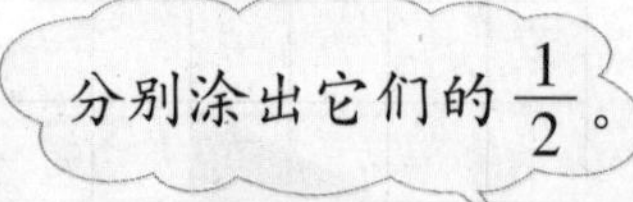

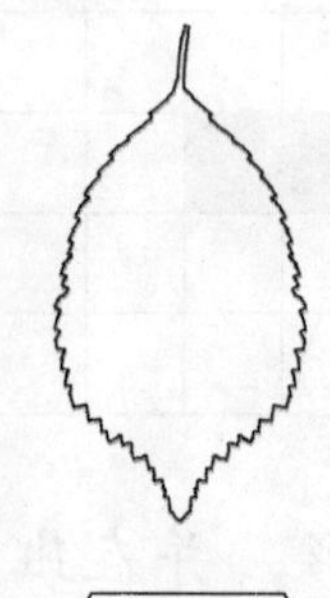

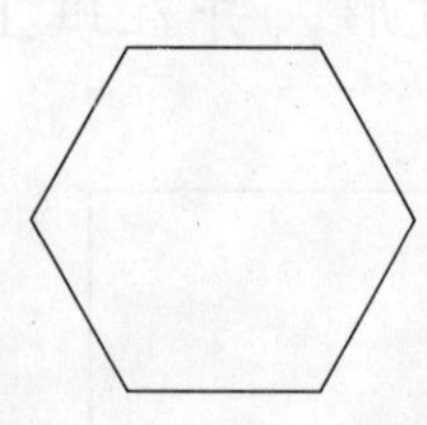

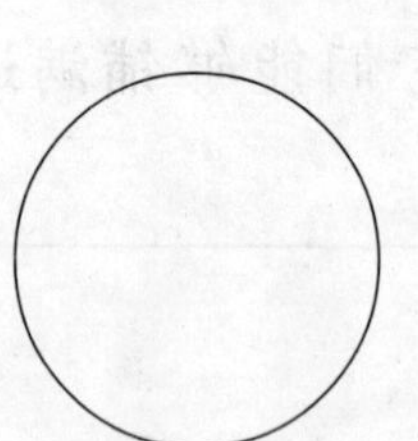

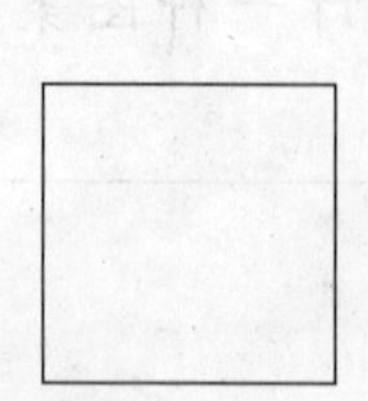

折一折　用一张正方形的纸折出它的$\frac{1}{2}$，与同伴进行交流。

一张正方形的纸平均分成4份。

(1) 把其中的一份涂上颜色，涂色部分是这张纸的$\frac{1}{4}$。

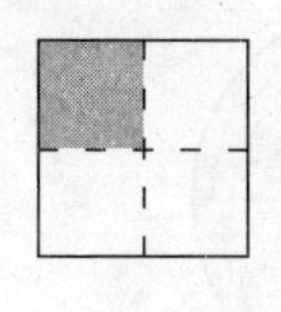

(2) 把其中的两份涂上颜色，涂色部分是这张纸的$\frac{(\quad)}{4}$。

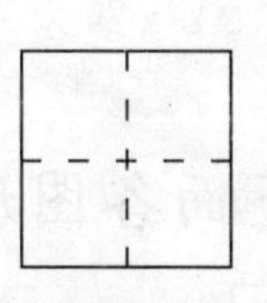

(3) 把其中的三份涂上颜色，涂色部分是这张纸的$\frac{(\quad)}{(\quad)}$。

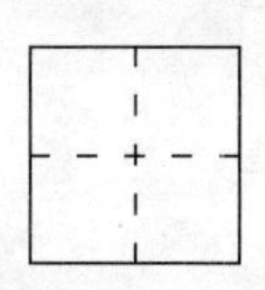

(4) 把这张纸的$\frac{4}{4}$涂上颜色，即是涂了这张纸的多少？

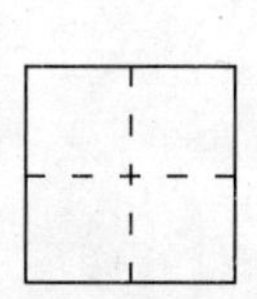

像$\frac{1}{2}$，$\frac{1}{4}$，$\frac{2}{4}$，…都是分数。

$\frac{3}{4}$ ……分子 ……分数线 ……分母

读作：四分之三。

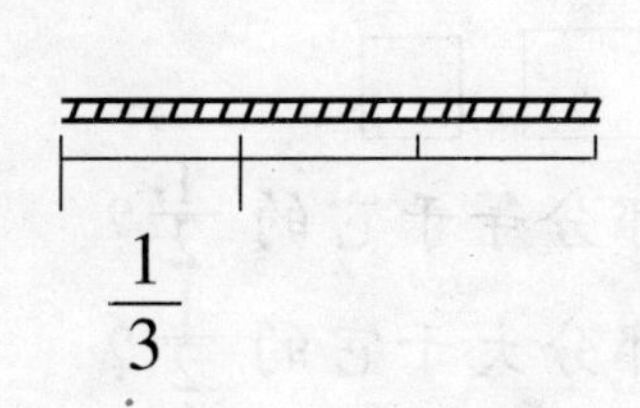

$\frac{1}{3}$

$\frac{3}{5}$

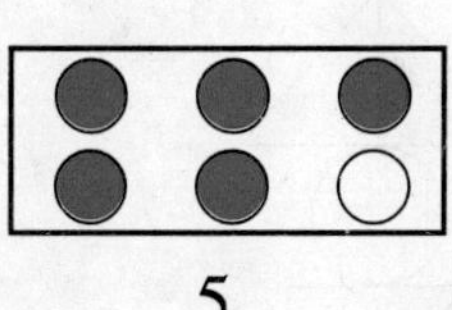

$\frac{5}{6}$

练一练

1. 用分数表示下面各图中的涂色部分，并读一读。

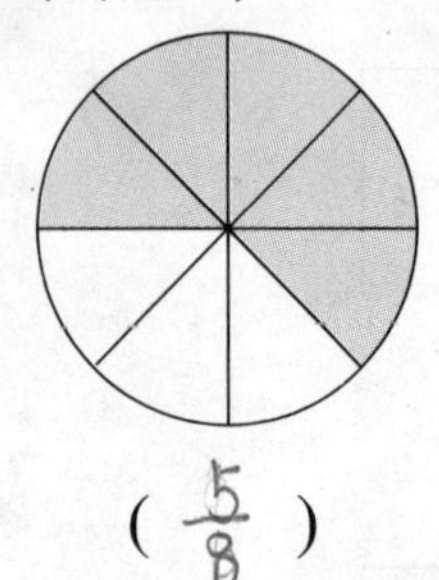

（ $\frac{5}{8}$ ）

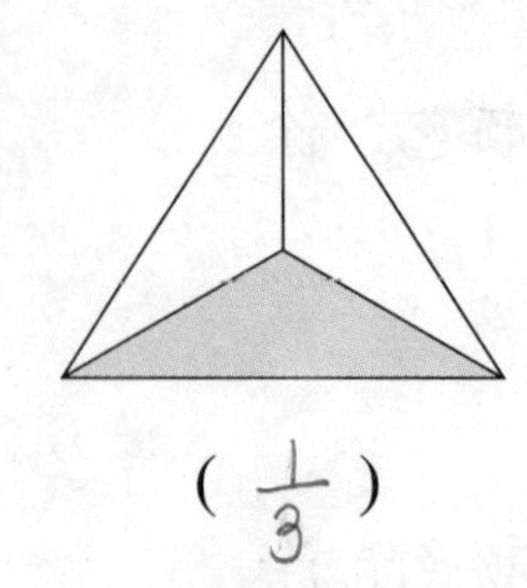

（ $\frac{1}{3}$ ）

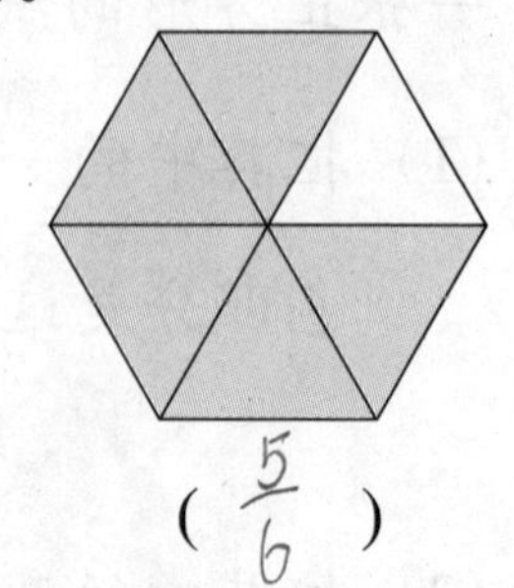

（ $\frac{5}{6}$ ）

2. 按分数把下面各图形涂上颜色。

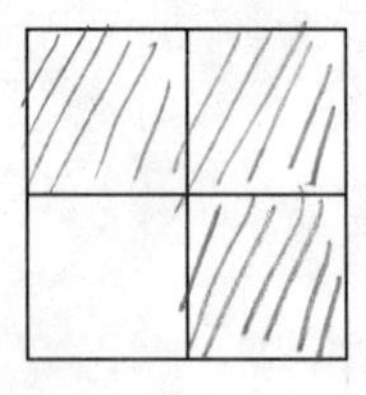

$\frac{3}{4}$

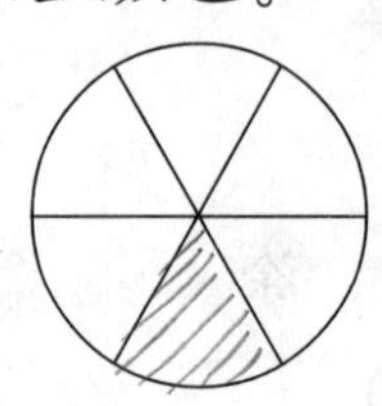

$\frac{1}{6}$

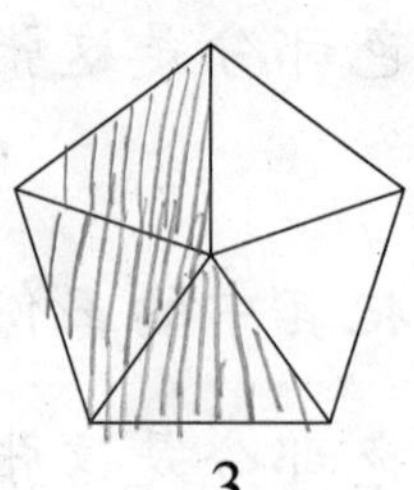

$\frac{3}{5}$

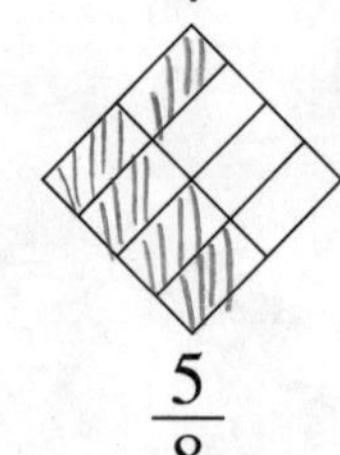

$\frac{5}{8}$

$\frac{1}{3}$

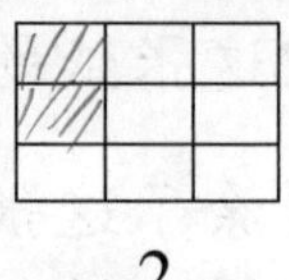

$\frac{2}{9}$

3. 用下面的分数表示阴影对吗？对的画“✓”，错的画“×”。

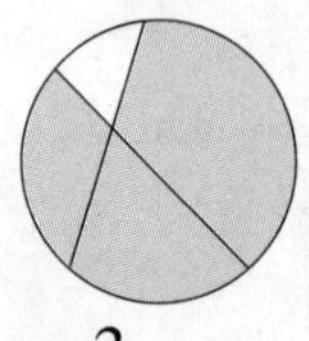

$\frac{3}{4}$（×）

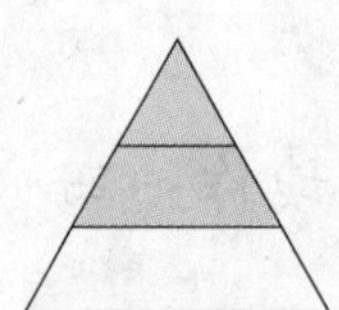

$\frac{2}{3}$（×）

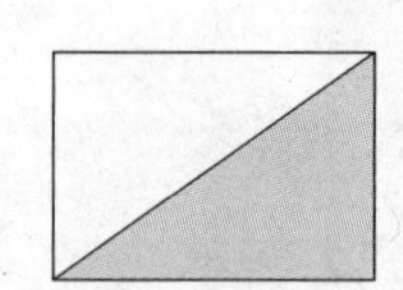

$\frac{1}{2}$（✓）

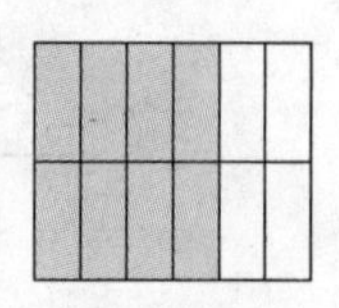

$\frac{4}{6}$（×）

4.

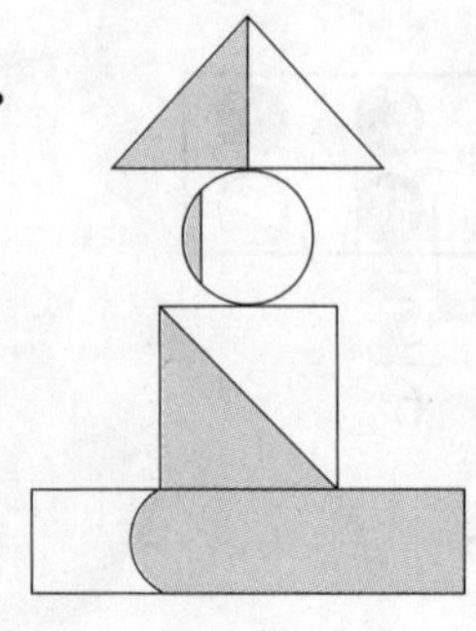

左图中有○，△，▭，□。

（1）哪个图形的蓝色部分等于它的 $\frac{1}{2}$？

（2）哪个图形的蓝色部分大于它的 $\frac{1}{2}$？

（3）哪个图形的蓝色部分小于它的 $\frac{1}{2}$？

分一分(二)

把附页2中的图7涂上3种不同的颜色（红色、黄色和蓝色）。

(1) 红色占这些正方形的$\frac{(\quad)}{(\quad)}$；

(2) 黄色占这些正方形的$\frac{(\quad)}{(\quad)}$；

(3) 蓝色占这些正方形的$\frac{(\quad)}{(\quad)}$。

(1) 一共有几只蝴蝶？

有7只蝴蝶

(2) 白蝴蝶的只数占所有蝴蝶的$\frac{(3)}{7}$。

(3) 花蝴蝶的只数占所有蝴蝶的$\frac{(4)}{(7)}$。

(4) 你还能从图中找到哪些分数？与同伴说一说。

练一练

1. 用分数表示每幅图中每种图案的个数占全部的几分之几。

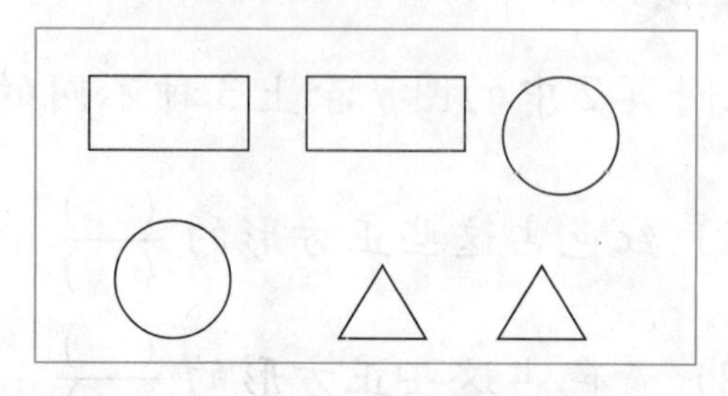

红花:_____　黄花:_____　　长方形:_____圆:_____三角形:_____

2. 按分数圈一圈。

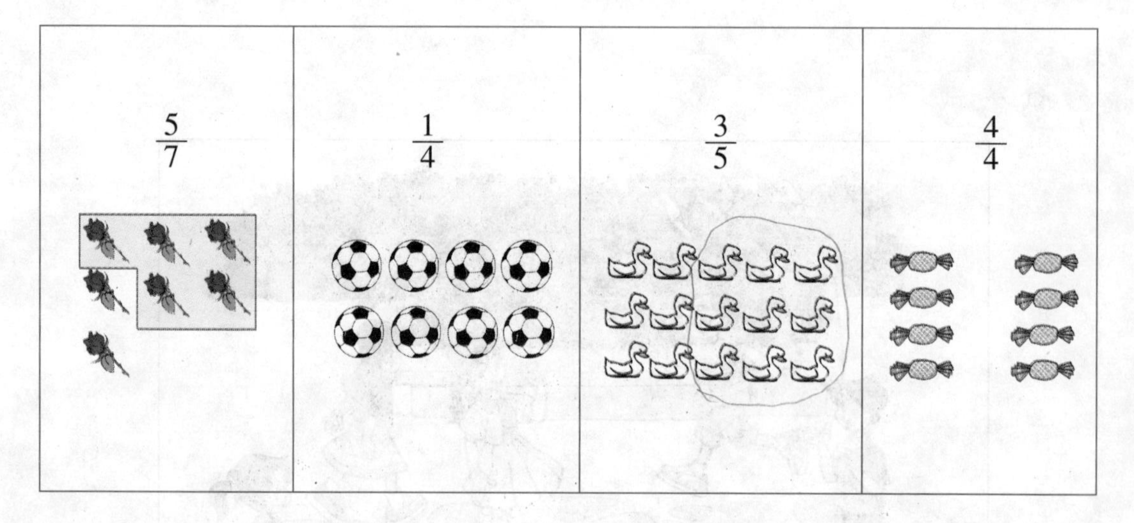

3. 他们拿的铅笔一样多吗？与同伴说一说。

比大小

$\frac{3}{4}$和$\frac{1}{4}$谁大？

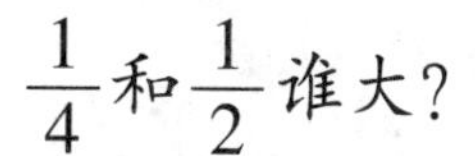

$\frac{1}{4}$和$\frac{1}{2}$谁大？

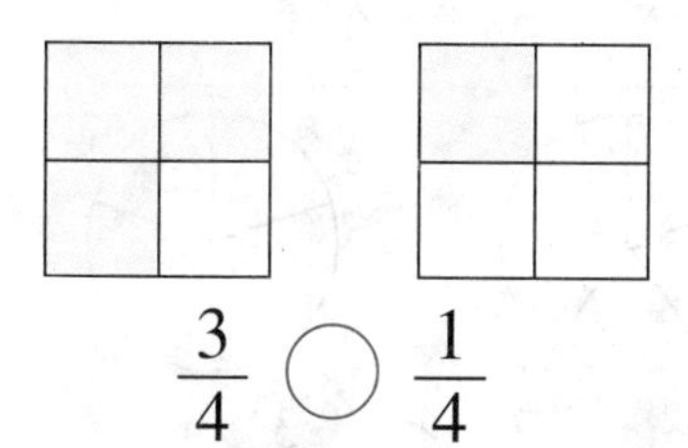

$\frac{3}{4} \bigcirc \frac{1}{4}$

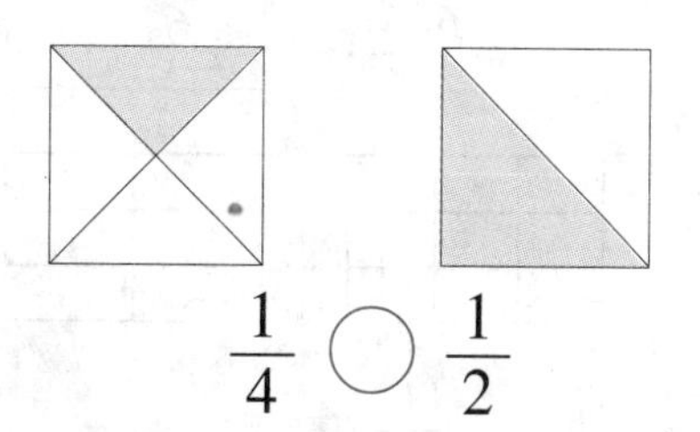

$\frac{1}{4} \bigcirc \frac{1}{2}$

(1) 填分数，比大小。

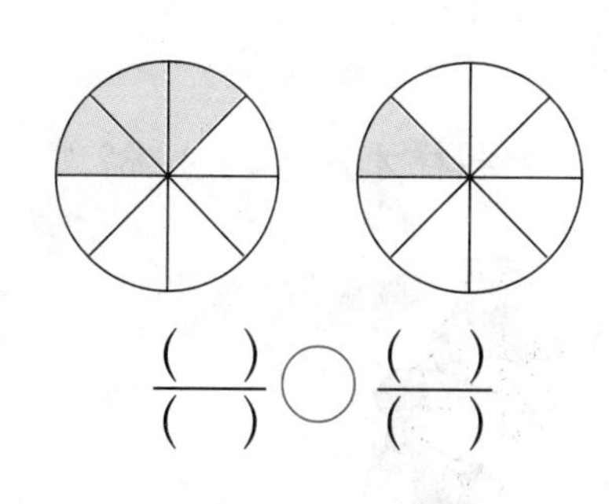

$\frac{(\quad)}{(\quad)} \bigcirc \frac{(\quad)}{(\quad)}$

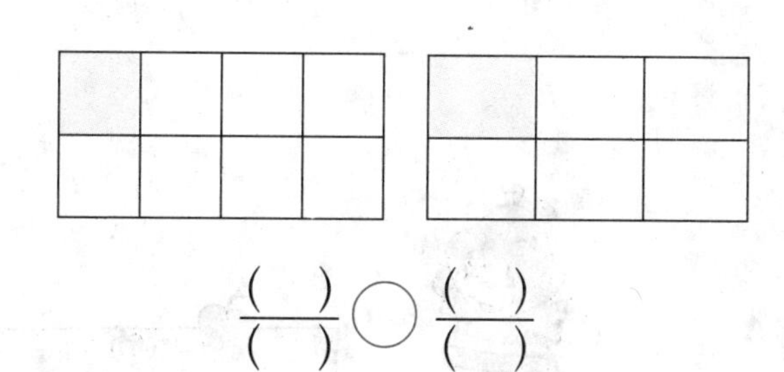

$\frac{(\quad)}{(\quad)} \bigcirc \frac{(\quad)}{(\quad)}$

(2) 按分数先涂上颜色，再比较大小。

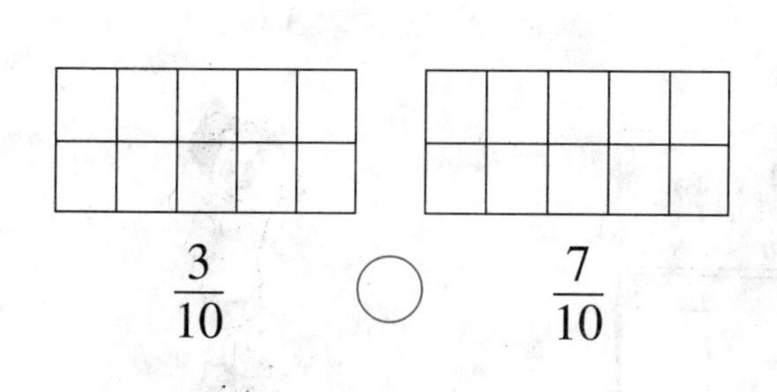

$\frac{3}{10} \bigcirc \frac{7}{10}$

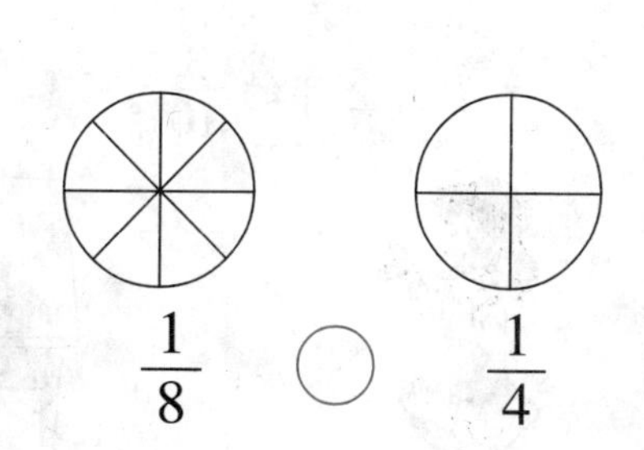

$\frac{1}{8} \bigcirc \frac{1}{4}$

练一练

1. 按分数涂颜色，并比较分数的大小。

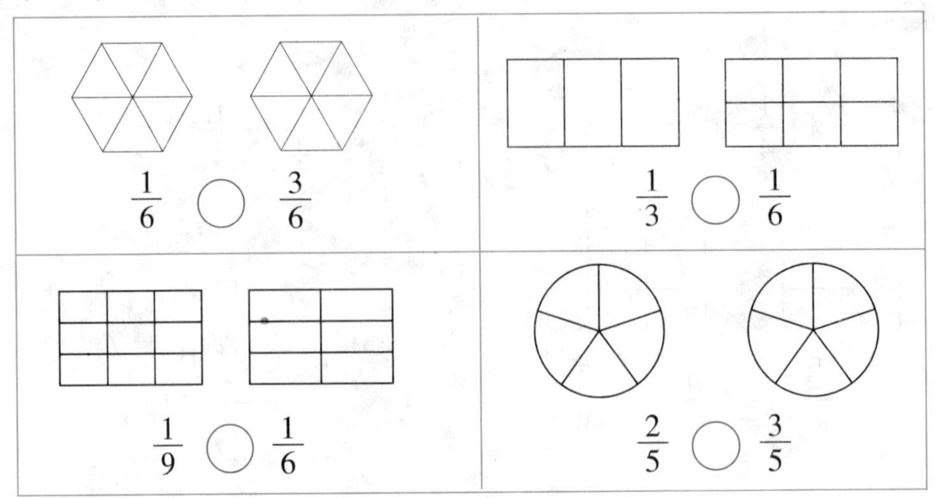

$\frac{1}{6}$ ○ $\frac{3}{6}$　　$\frac{1}{3}$ ○ $\frac{1}{6}$

$\frac{1}{9}$ ○ $\frac{1}{6}$　　$\frac{2}{5}$ ○ $\frac{3}{5}$

2. 在下面图形中，涂出它的 $\frac{1}{4}$。

3.

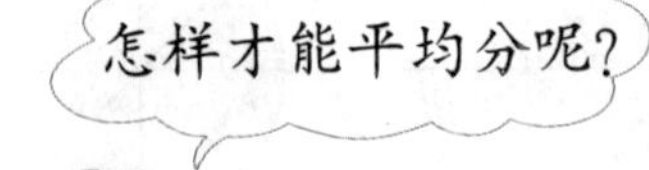

我说你拿。

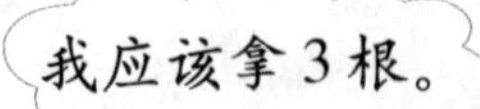

吃西瓜

（1）它们一共吃了这个西瓜的几分之几？

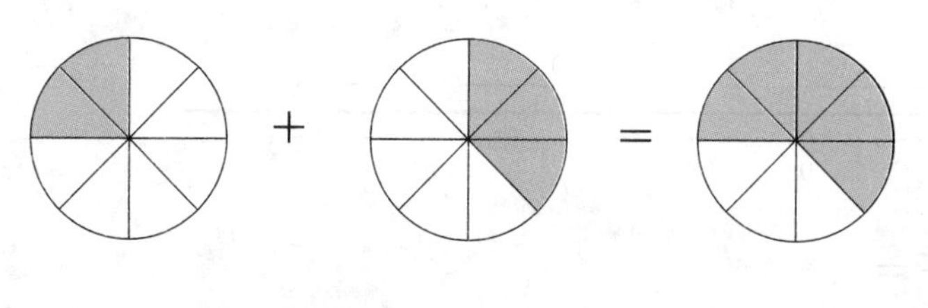

$$\frac{2}{8}+\frac{3}{8}=\frac{2+3}{8}=\frac{(\quad)}{8}$$

（2）大熊比小熊多吃了这个西瓜的几分之几？

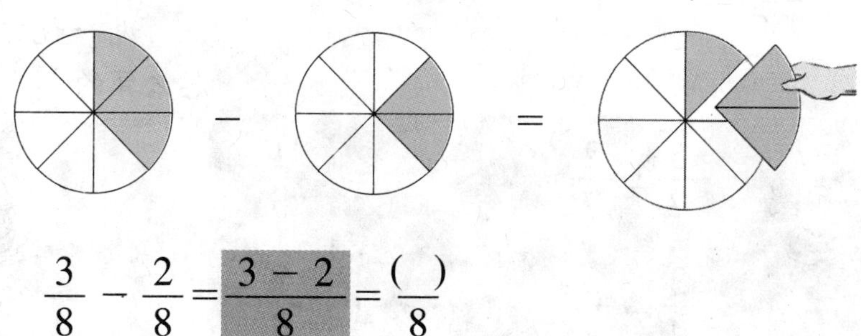

$$\frac{3}{8}-\frac{2}{8}=\frac{3-2}{8}=\frac{(\quad)}{8}$$

（3）还剩下几分之几？

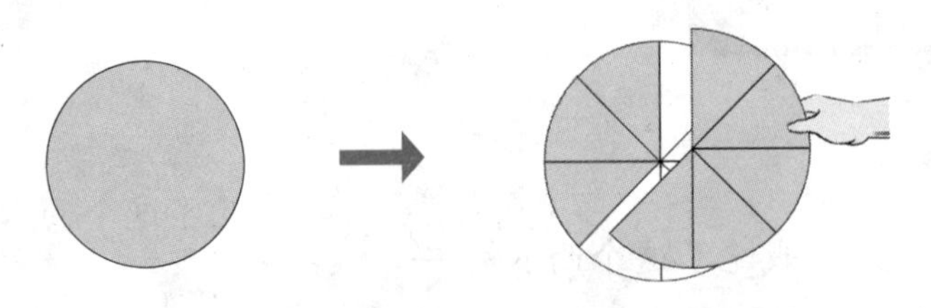

$$1-\frac{5}{8}=\frac{8}{8}-\frac{5}{8}=\frac{8-5}{8}=\frac{(\quad)}{(\quad)}$$

练一练

1.

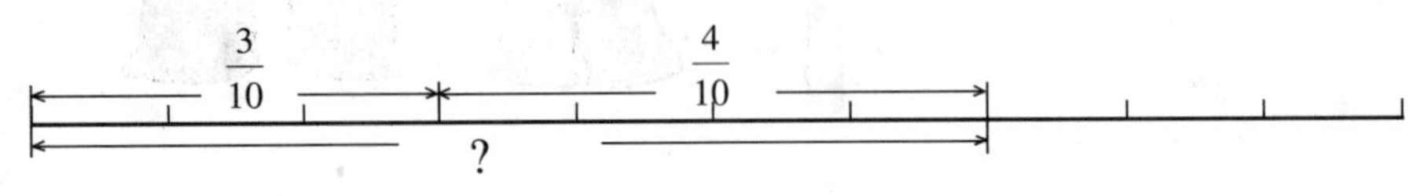

$$\frac{3}{10}+\frac{4}{10}=\underline{\qquad}$$

$\frac{2}{9}$　　?

$\frac{8}{9}$

$$\frac{8}{9}-\frac{2}{9}=\underline{\qquad}$$

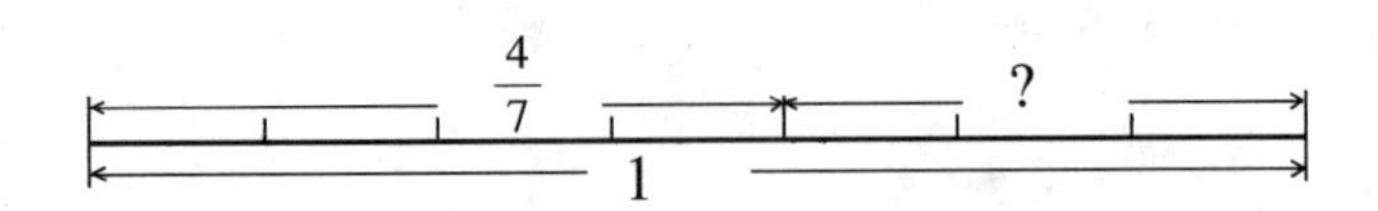

$$1-\frac{4}{7}=\underline{\qquad}$$

说一说你是怎么算的。

2.

$\frac{1}{9}+\frac{4}{9}$	$\frac{5}{7}-\frac{2}{7}$	$1-\frac{1}{5}$
$\frac{5}{8}+\frac{2}{8}$	$\frac{3}{4}-\frac{3}{4}$	$1-\frac{3}{7}$

练 习 三

1. 涂色部分是几分之几？

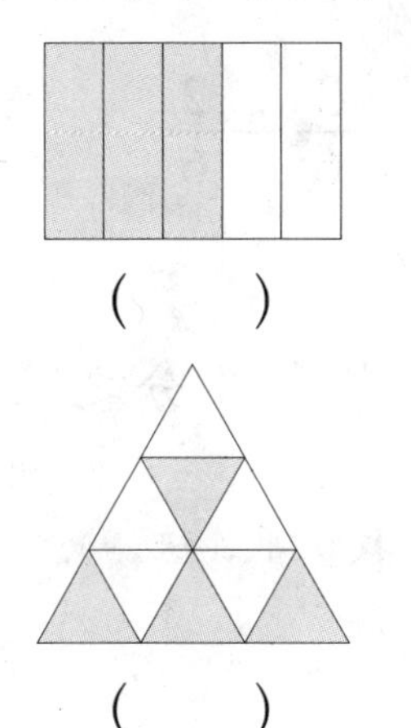

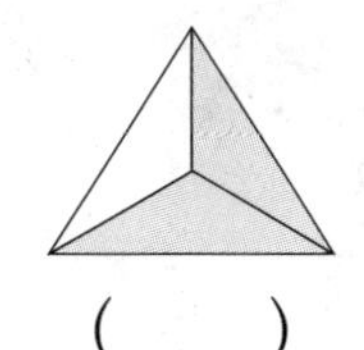

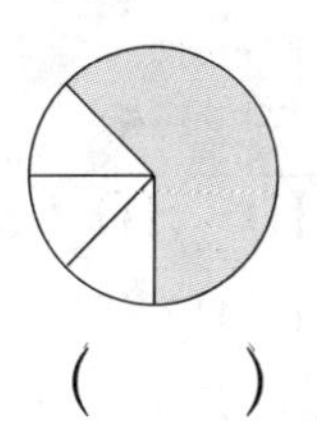

(　　)　　(　　)　　(　　)

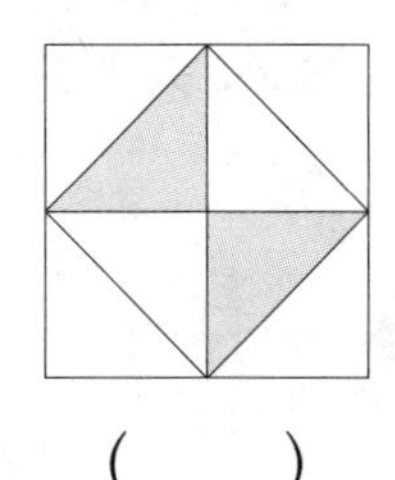

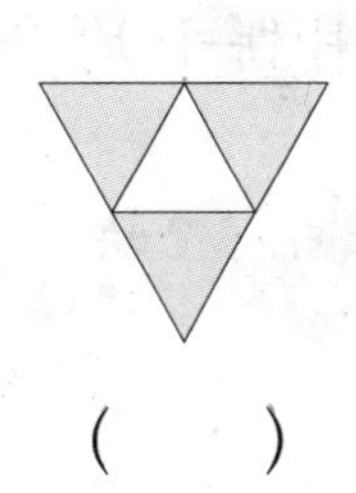

(　　)　　(　　)　　(　　)

2. 涂一涂，比一比。

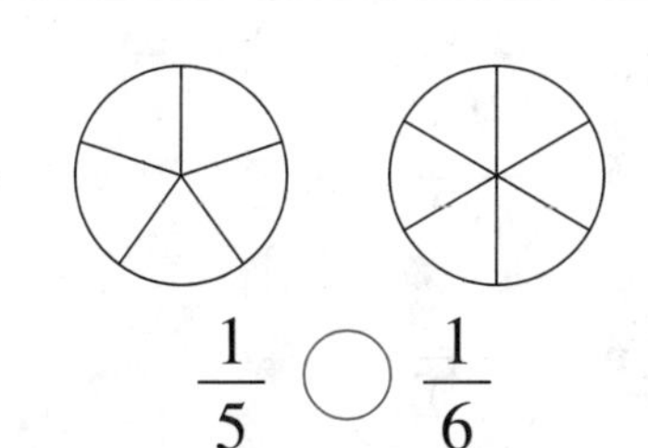

$\frac{1}{5}$ ◯ $\frac{1}{6}$

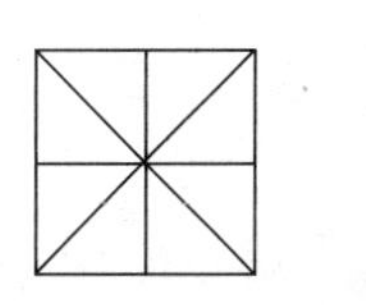

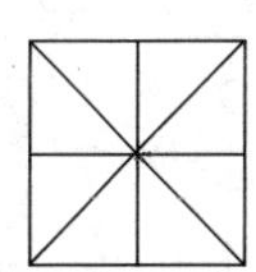

$\frac{2}{8}$ ◯ $\frac{3}{8}$

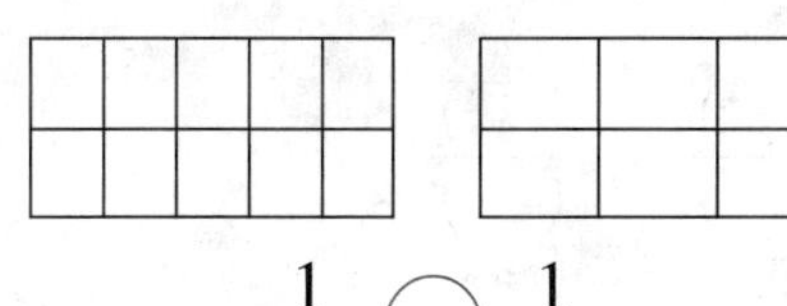

$\frac{1}{10}$ ◯ $\frac{1}{6}$

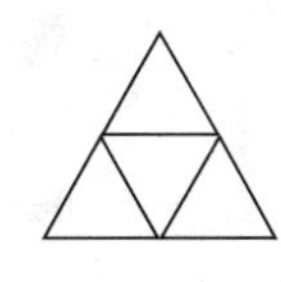

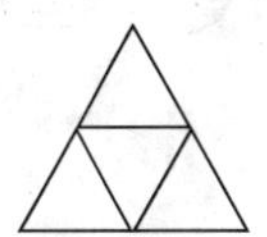

$\frac{2}{4}$ ◯ $\frac{3}{4}$

3.

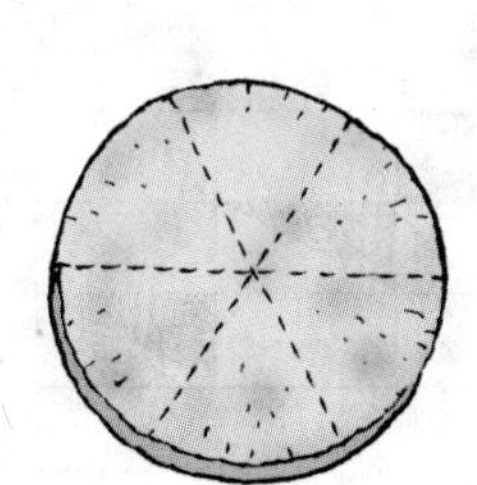

爸爸吃了 $\frac{2}{6}$，妈妈吃了 $\frac{1}{6}$。

(1) 他们一共吃了这张饼的几分之几？

(2) 还剩下几分之几？

4.

$\frac{1}{4}+\frac{2}{4}$　　$\frac{4}{7}+\frac{1}{7}$　　$\frac{1}{2}+\frac{1}{2}$　　$\frac{5}{8}-\frac{2}{8}$

$\frac{7}{10}-\frac{5}{10}$　　$\frac{3}{6}+\frac{2}{6}$　　$1-\frac{2}{9}$　　$\frac{3}{6}-\frac{2}{6}$

5. 一个月饼平均分成 8 块，两人共吃了这个月饼的几分之几？

6.

🍎占全部水果的 $\frac{(\quad)}{(\quad)}$，

🍐占全部水果的 $\frac{(\quad)}{(\quad)}$，

🍎占的分数比🍐少几分之几？

$\frac{(\quad)}{(\quad)}-\frac{(\quad)}{(\quad)}=\frac{(\quad)}{(\quad)}$

7. 阴影部分是这个图形的几分之几？

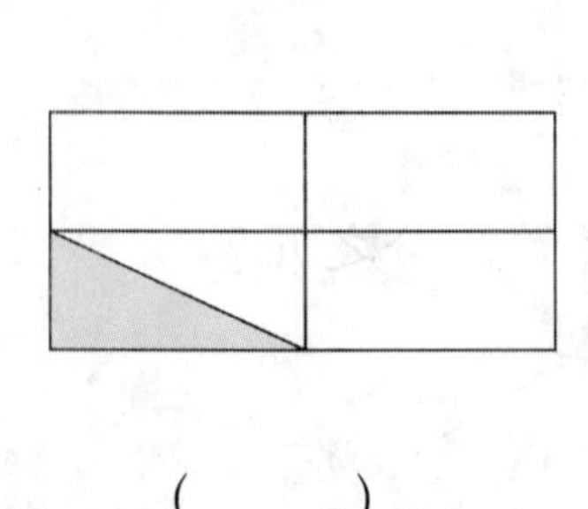

(　　)

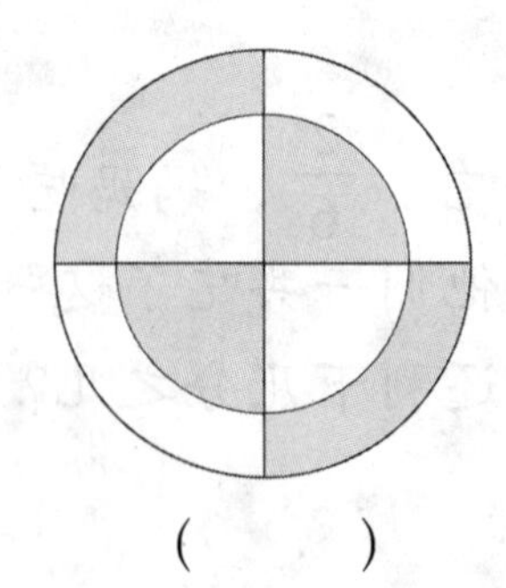

(　　)

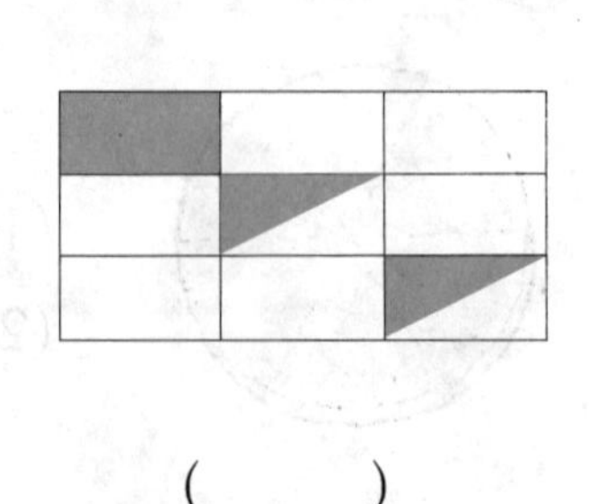

(　　)

8.

(1) 参加跳绳活动的共有□人；

(2) 男同学占总人数的$\frac{(\quad)}{(\quad)}$，女同学占总人数的$\frac{(\quad)}{(\quad)}$；

(3) 你还能提出哪些数学问题？

数学故事 谁喝得多？

实践活动 制作七巧板。

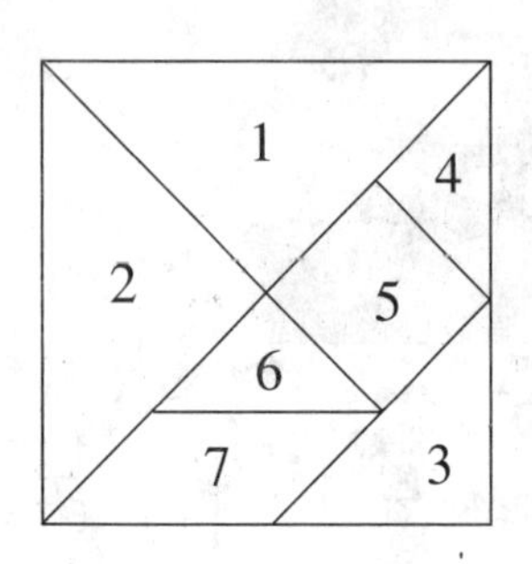

做一做

(1) 拿一张长方形纸，折出一个最大的正方形，并剪下来。

(2) 用剪下的正方形纸，按下面的顺序制作七巧板，并涂上不同的颜色。

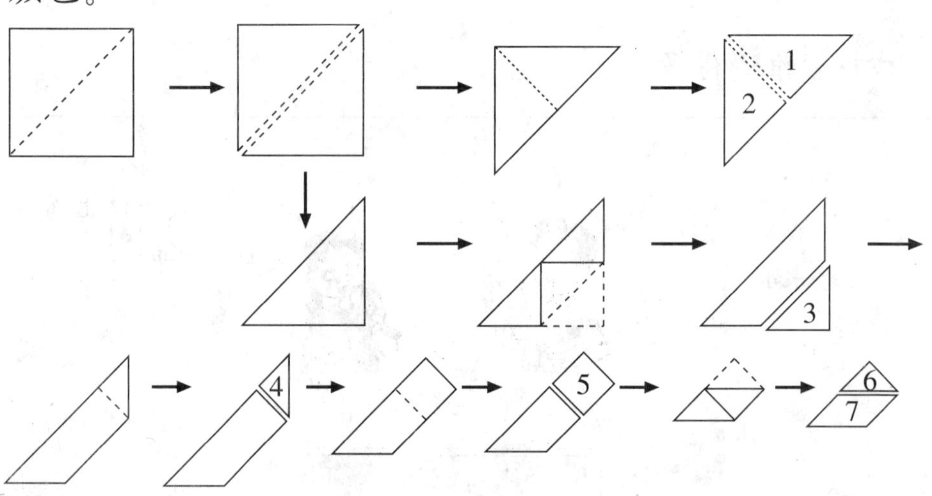

想一想

(1) 1号图形是原正方形的几分之几？2号呢？它们共占原正方形的几分之几？

(2) 3号、4号、5号、6号、7号图形分别占原正方形的几分之几？

(3) 用七巧板中的图形拼出长方形或正方形，估一估，量一量，算出它们的周长和面积大约是多少。

整理与复习（二）

你学会了什么 看图说一说。

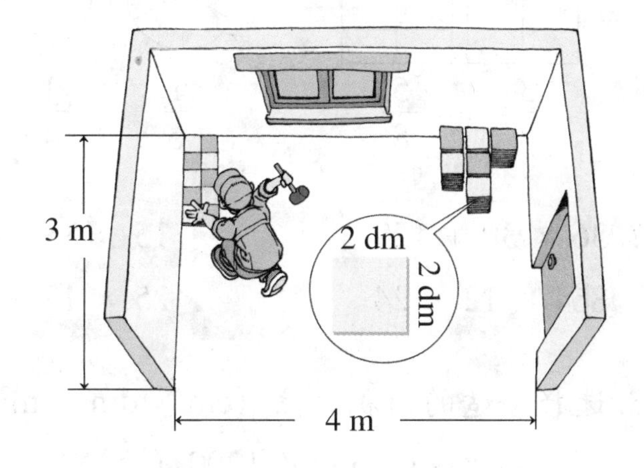

我的成长足迹 与同伴说一说。

我解决了一个生活中的数学问题……

我读了一本有趣的数学读物……

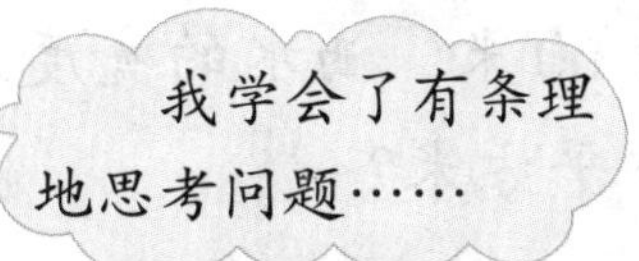

练一练

1. 按分数涂颜色，并比较分数的大小。

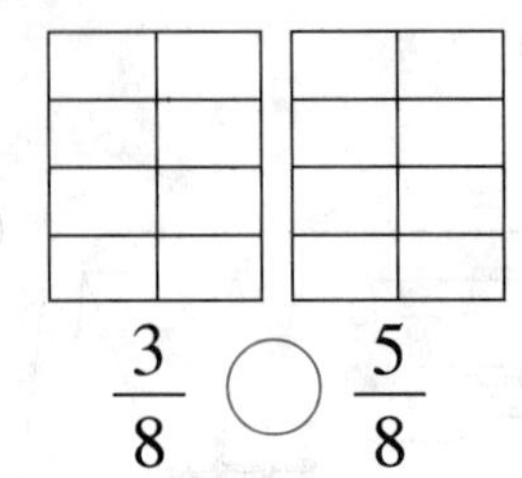
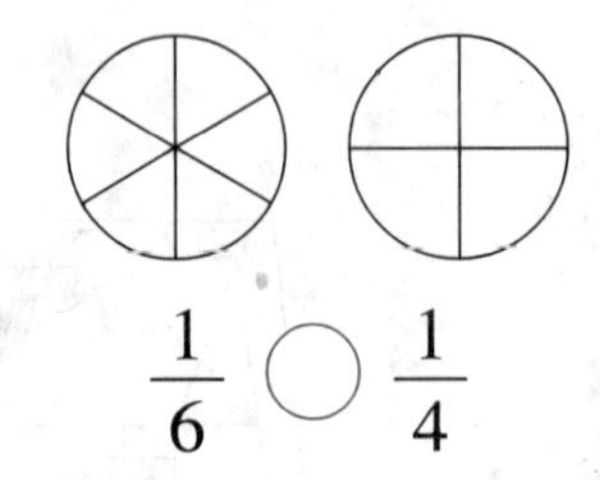
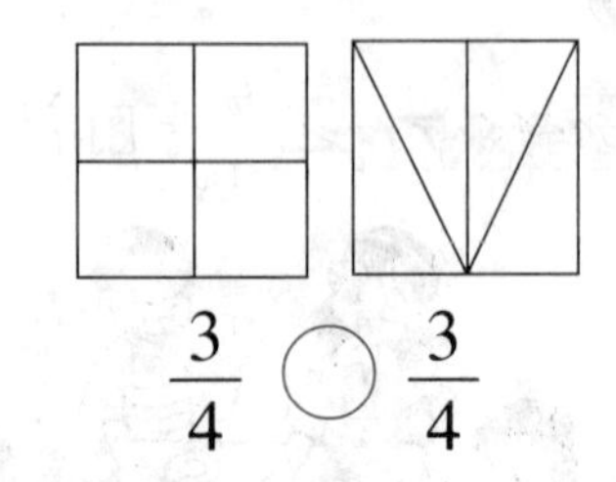

$\frac{3}{8}$ ○ $\frac{5}{8}$　　　$\frac{1}{6}$ ○ $\frac{1}{4}$　　　$\frac{3}{4}$ ○ $\frac{3}{4}$

2. $36 \times 30 + 129$　　$15 \times 8 \times 7$　　$78 + 14 \times 6$

$864 - 12 \times 24$　　$25 \times 12 \div 6$　　$540 \div 9 \div 6$

3. 选择合适的面积单位（cm^2，dm^2，m^2）填空。

（1）游泳池的面积是1200（　）。

（2）黑板的面积是600（　）。

（3）单人床的面积是1.8（　）。

（4）小信封的面积是2（　）。

4. $\frac{1}{3}+\frac{1}{3}$　　$\frac{7}{8}-\frac{5}{8}$　　$\frac{2}{5}+\frac{2}{5}$　　$\frac{5}{6}-\frac{3}{6}$

$\frac{1}{4}+\frac{3}{4}$　　$\frac{5}{7}-\frac{3}{7}$　　$\frac{2}{9}+\frac{6}{9}$　　$\frac{4}{5}-\frac{3}{5}$

5. 一辆洒水车每分行驶60米，洒水的宽度是8米，洒水车直行9分，被洒水的地面是多少平方米？

六　统计与可能性

奖牌给哪组

两个小组在相同的时间内进行投篮比赛，下面是每个小组投中情况统计图。（●表示投中 1 个）

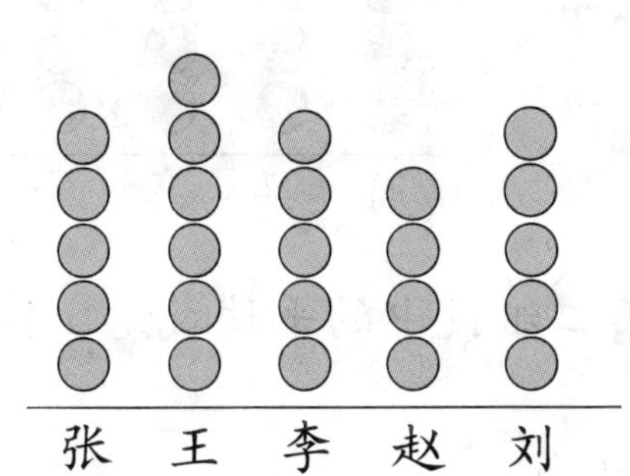

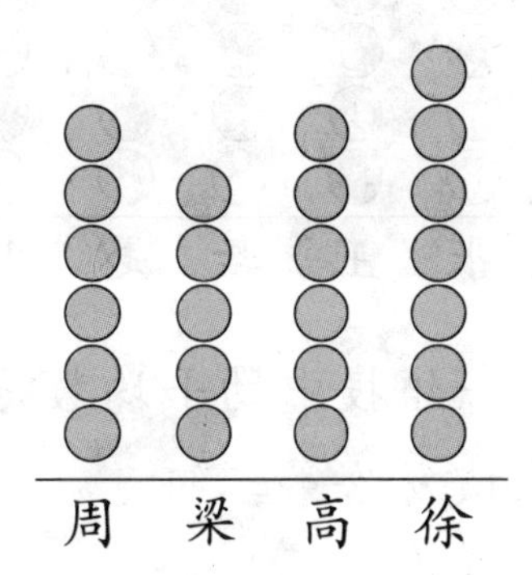

第一组投中的总数多，应该发给第一组。

投中最多的在第二组，应该发给第二组。

应该看平均每个同学投中几个球。

第一组平均每人投中 $(5+6+5+4+5)\div 5=5$（个）。

第二组平均每人投中 $(6+5+6+7)\div 4=6$（个）。

第二组平均每人投中的多，奖牌给第二组。

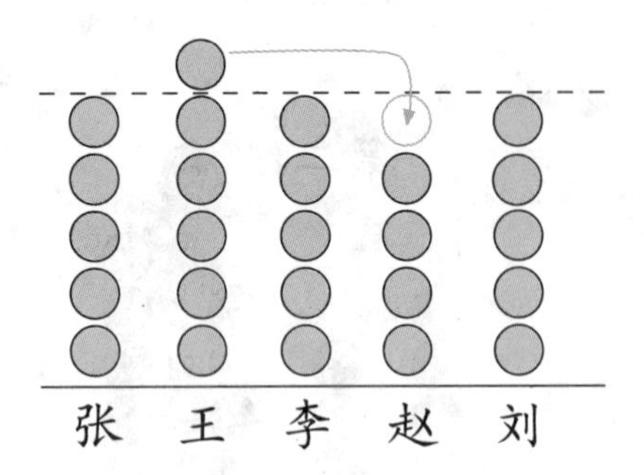

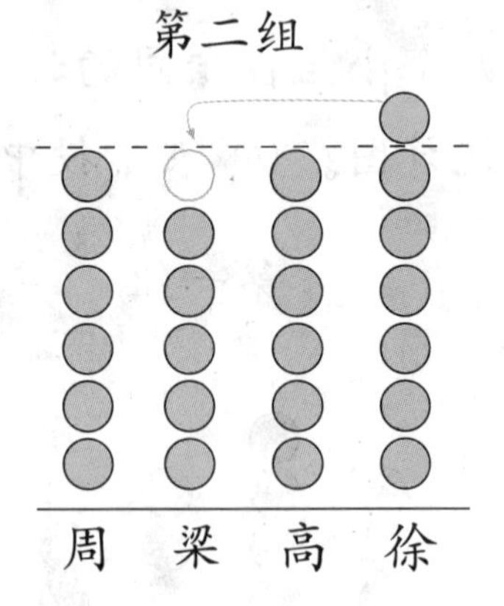

第一组投中的平均数是5个，第二组投中的平均数是6个，所以奖牌应该发给第二组。

星期四小熊冷饮店又该进冰糕了，小熊翻开了商店本周前三天卖出的冰糕情况。

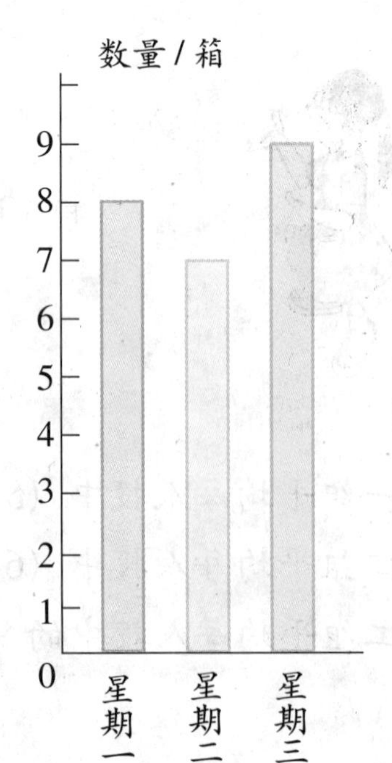

练一练

1. “新苗杯”儿童歌手大奖赛成绩统计表。

评委 选手	陈老师	王老师	李老师	平均得分
1号	89	85	96	
2号	91	96	86	
3号	92	95	92	

(1) 请你把这张评分统计表填写完整。

(2) 请你排出三位选手的名次。

2. 根据下面两个统计表，回答问题。

植树情况统计表　　棵

胜利小学	光明小学	春阳小学	第一小学
126	145	150	203

胜利小学植树班数统计表　　个

四年级	五年级	六年级
3	2	4

(1) 平均每个学校植树多少棵?

(2) 胜利小学平均每班植树多少棵?

3. 某足球队想引进一个前锋。

最近5个赛季进球数

运动员甲：23，17，18，24，23。

运动员乙：/，/，26，22，24。

运动员丙：30，12，/，26，20。

“/”表示这个赛季没参加比赛

这个足球队该引进哪个运动员?

4. 王叔叔每天沿着环形跑道跑步，并记录下所走的路程和所需时间，如下图。

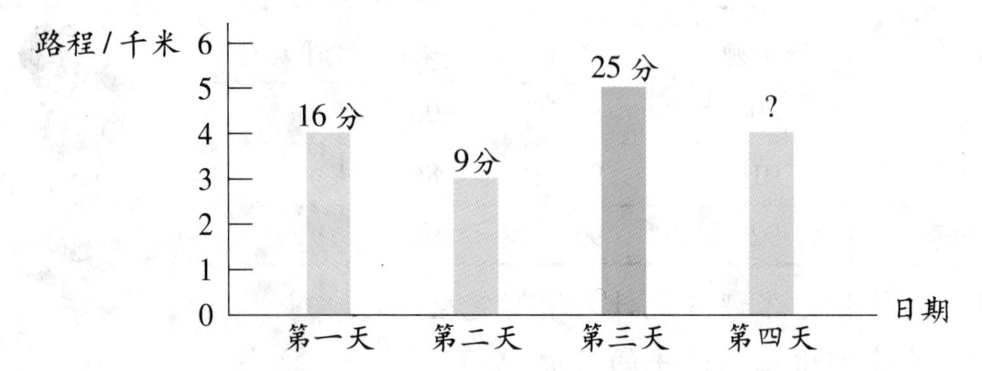

(1) 王叔叔前三天跑了多少千米？平均每天跑几千米？

(2) 前三天王叔叔哪一天跑得最快？哪天跑得最慢？

(3) 前四天中第四天王叔叔跑的速度最快，花的时间可能是（　）。

A. 55分　　B. 10分　　C. 25分

(1) 调查小组同学的身高，并计算小组的平均身高。

(2) 在报刊上找出与平均数有关的信息，并与同伴说一说。

有危险吗？

猜一猜

说一说 如果转动转盘，指针停在哪种颜色的可能性大？

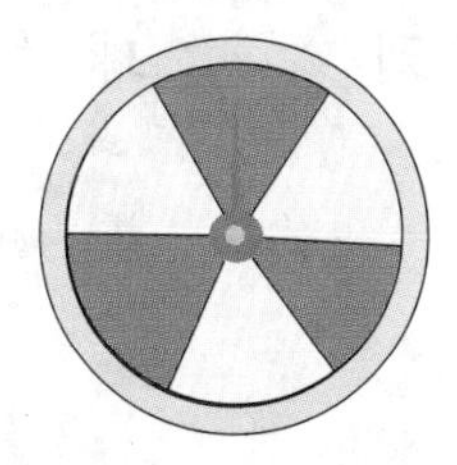
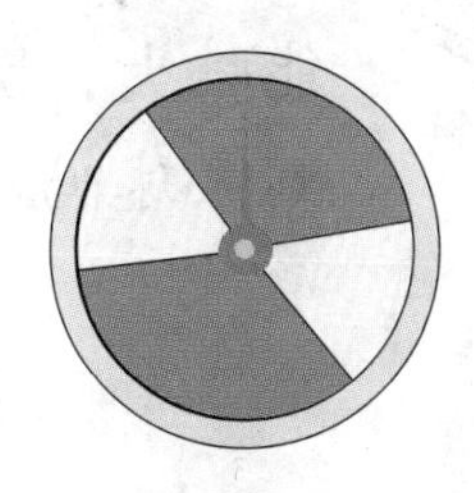
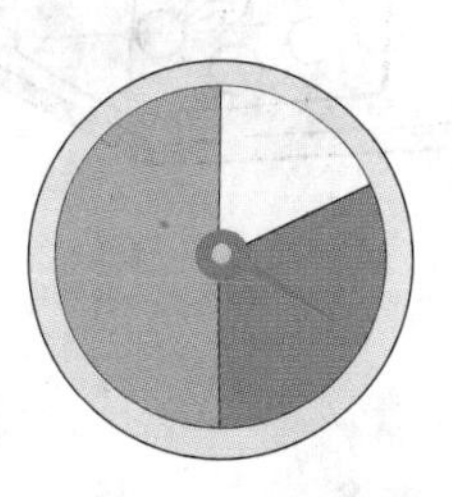

抛纸杯

(1) 记录结果，每人重复做5次。

	落地后的情况
1	
2	
3	
4	
5	

(2) 与同伴说一说可能出现哪几种结果，并写下来。

摸球

任意摸一个球，有______种结果，摸到______球的可能性大，摸到______球的可能性小。

再放入3个红球，任意摸一个球，可能出现______种结果，摸到______球的可能性大，摸到______球的可能性小。能摸到黑球吗？

一次摸出两个球，可能出现哪些结果？

1	2	3

试一试

抛出一枚图钉，可能出现什么结果？列举出来。

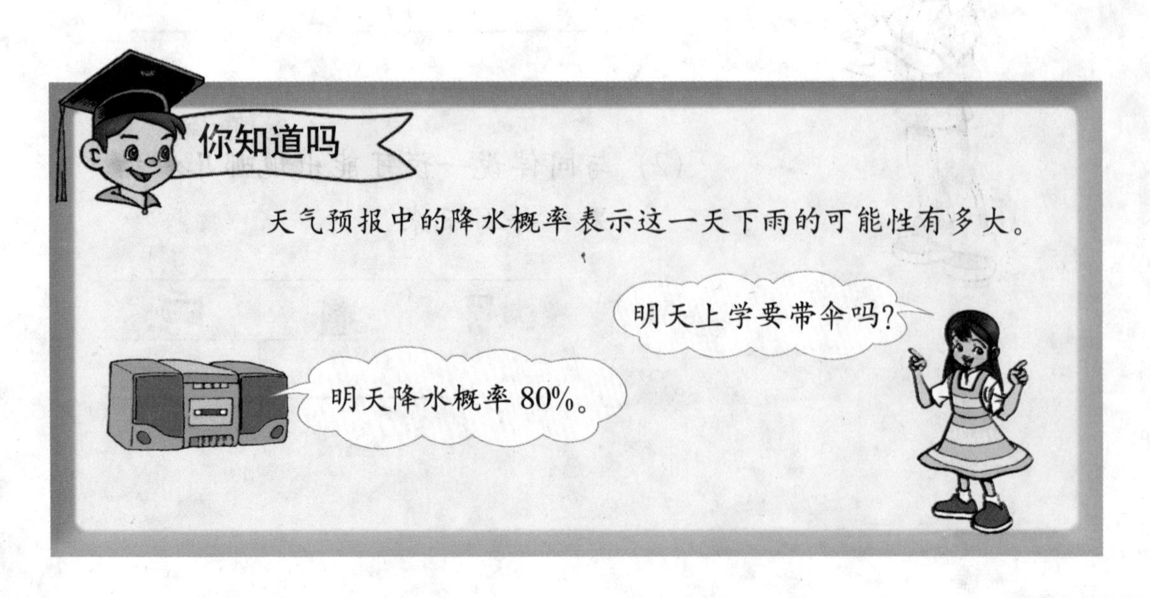

体育中的数学

体操表演

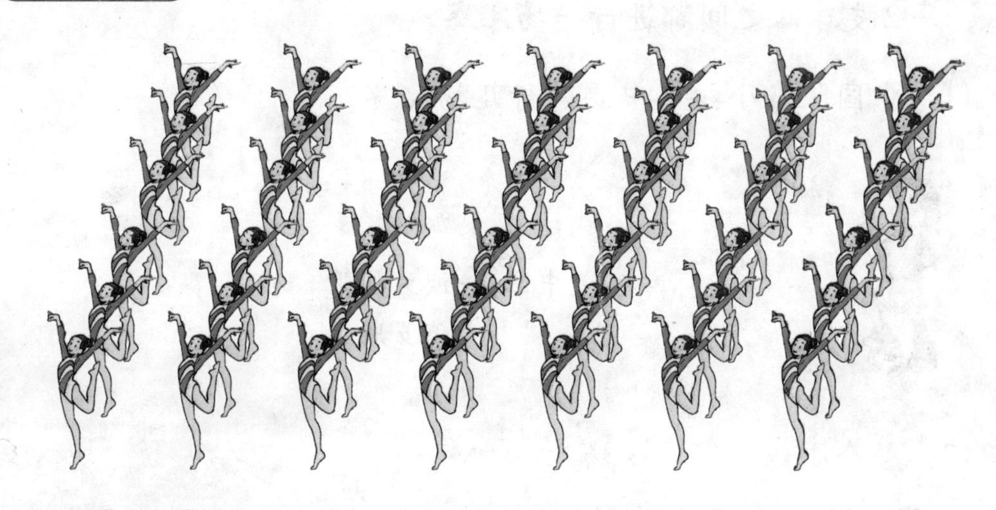

(1) 要站成4行，每行要站多少人?

(2) 如果要站成方队，至少去掉多少人? 或者至少增加多少人? 说说你的想法。

(3) 由36人组成的方队，每行有几人? 在体操表演时需要变换队形，如果排成长方形队形，可以有几种排法? 填写下表。

	第一种	第二种	第三种	第四种
每行人数				
行数				

比赛场次

2003年第4届世界杯女子足球赛，中国队所在的小组共有4支球队，每2支球队之间都进行一场比赛。

(1) 中国队在小组赛中要进行几场比赛？

(2) 整个小组共赛多少场？

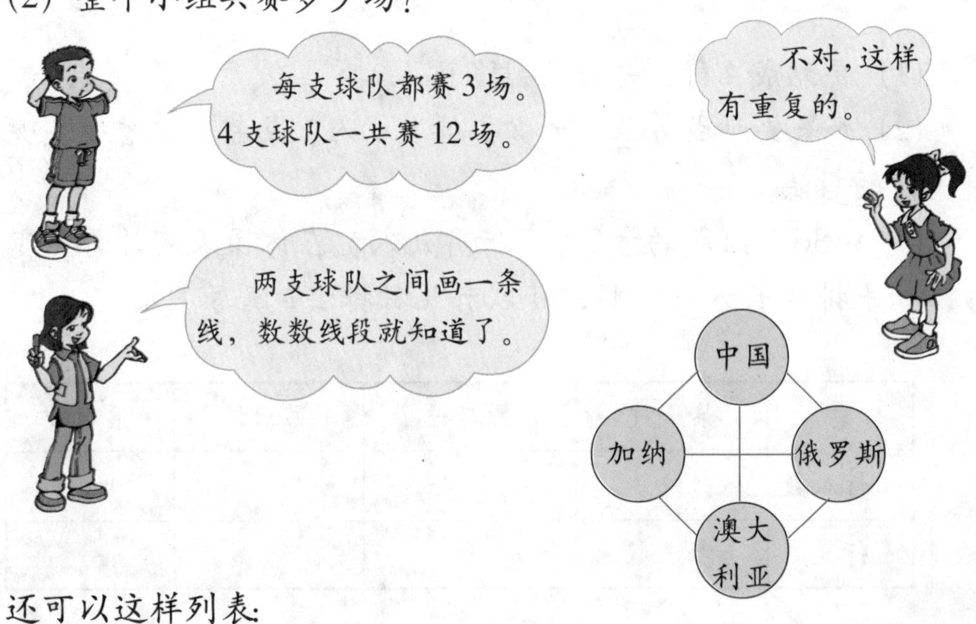

还可以这样列表：

	中国	加纳	澳大利亚	俄罗斯
中国				
加纳	(中国、加纳)			
澳大利亚	(中国、澳大利亚)	(加纳、澳大利亚)		
俄罗斯	(中国、俄罗斯)	(加纳、俄罗斯)	(澳大利亚、俄罗斯)	

总 复 习

三年过去了！

我有了很多收获。

问题银行中还有一些问题不能解决。

学习数学需要不断地总结。

数与计算

1. 读数写数。

我国已发现的鸟类有1166种。

体育馆能容纳10000人。

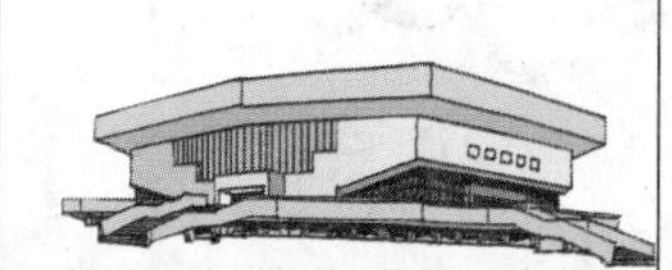

同学们回收废电池1005节。

我们用肉眼能看见的星星有三千颗左右。

太平洋是世界第一大洋，平均深度达四千零二十八米左右。

今年黄村共种树四千零八十棵。

2. 估一估。在正确的答案下面画“✓”。

28 页	1403 页	9874 页

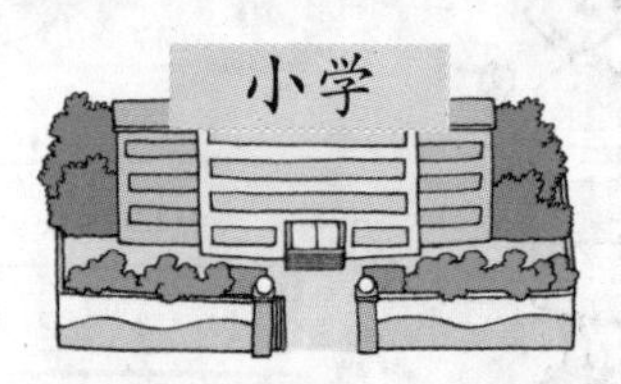

60 人	10000 人	1800 人

3. 找规律填数。

（1）2085， 2090， 2095， （　　），（　　）。

（2）1200， 1100， 1000， （　　），（　　）。

4. 在◯里填上“>”“<”或“=”。

4080◯4800　　987◯1020　　3 km◯2 km

1 kg◯900 g　　2 m^2◯400 dm^2　　2 时◯200 分

5. 填上适当的单位名称（克、千克）。

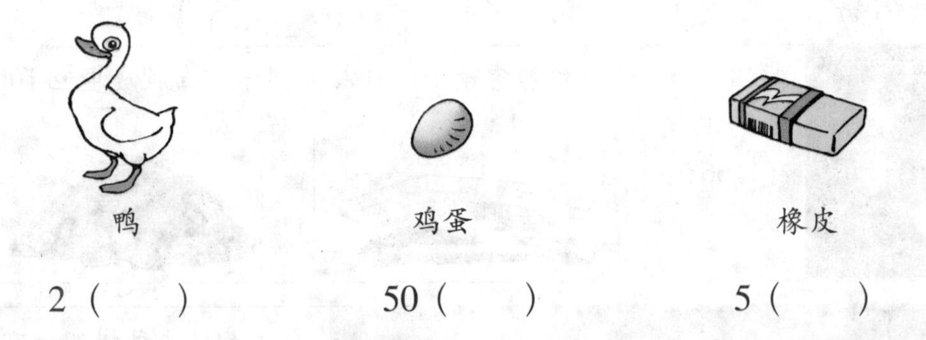

鸭	鸡蛋	橡皮
2（　　）	50（　　）	5（　　）

6. 四个同学的体重分别是38 kg，42 kg，39 kg，41 kg。想一想，标出每位同学的体重。

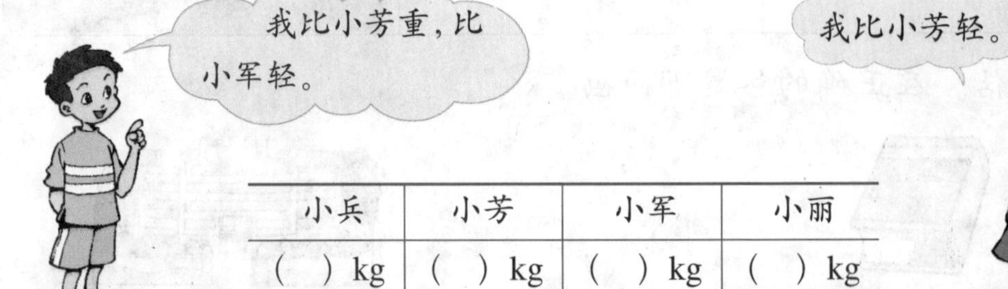

小兵	小芳	小军	小丽
（　）kg	（　）kg	（　）kg	（　）kg

7. 用分数表示涂色部分。

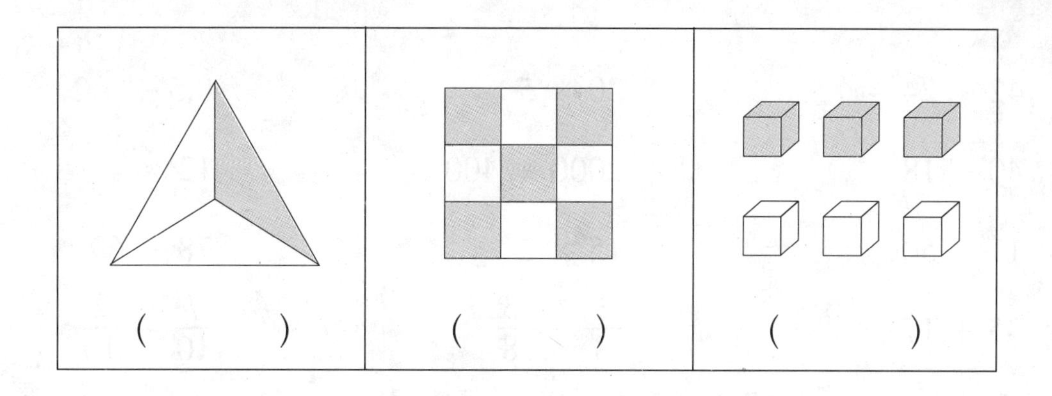

8. 阴影部分用分数表示，并比较大小。

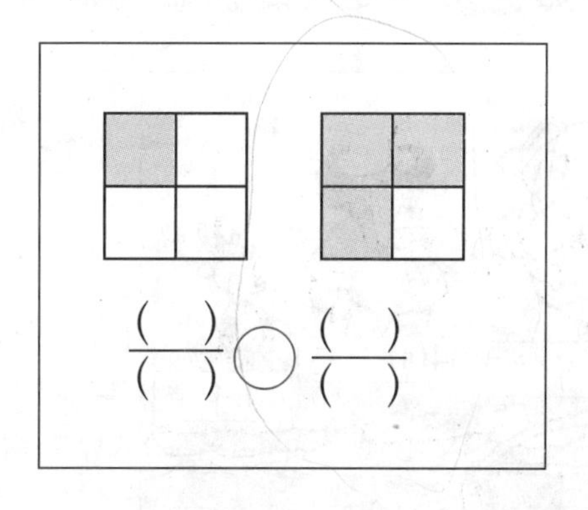

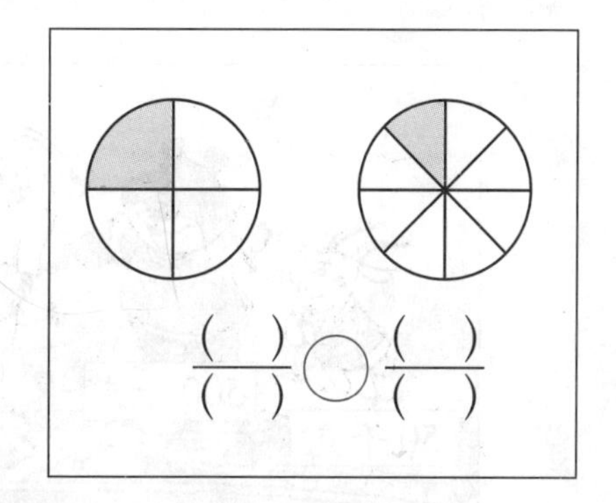

9. 说一说与日常生活密切相关的数。

10. 直接写出下面各题的得数。

$42+24$	20×5	$0.5+1.2$
$40-18$	$2000+400$	12×4
11×50	15×2	$78-69$
$35+17$	$\frac{1}{8}+\frac{3}{8}$	$\frac{7}{10}-\frac{2}{10}$

11. 5只动物要同时过河，该怎样乘船？用线连一连。

12.

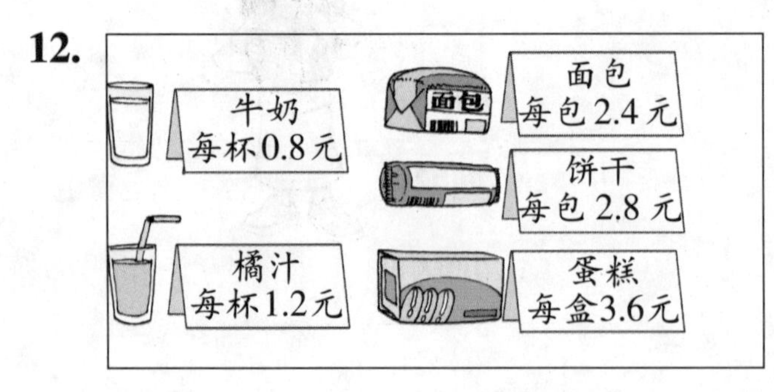

小明要买一种饮料和一种点心，他只带了4元钱，可以有哪几种选择？

13. 1200 张纸大约有多厚？1200 名学生大约能组成多少个班级？1200 步大约有多长？

14.

15.

97 名学生去公园，带 800 元钱买门票够不够？

16.

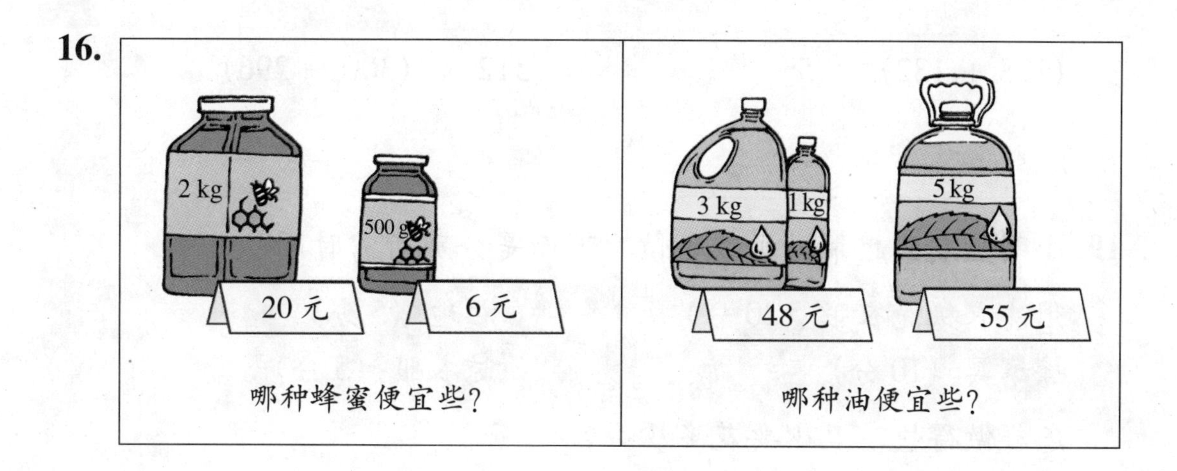

17. 有96位客人用餐，可以怎样安排桌子？

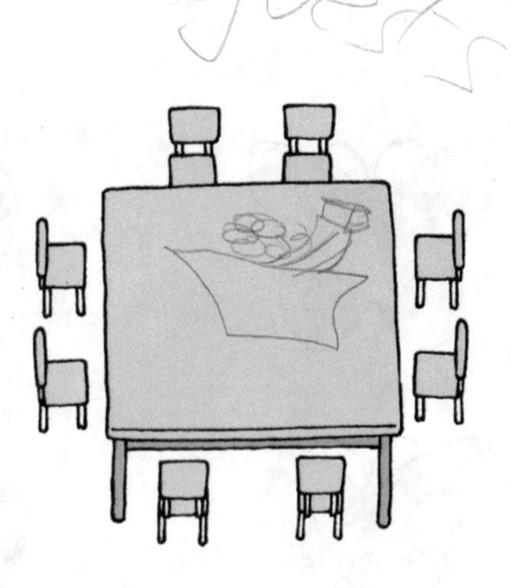

圆桌	方桌
(　　)张	(　　)张

18. 计算。

$240 \times 2 \div 6$　　　　$840 \div 4 \times 3$

$128 + 18 \times 6$　　　　$300 - 129 \div 3$

$(128 + 132) \div 5$　　　　$312 \times (300 - 296)$

19. 小明星期天想帮妈妈做事情，下面是分别所需时间：

用洗衣机洗衣服（20分）　　　　扫地（5分）
擦家具（10分）　　　　晾衣服（5分）

怎样做得快？至少要花多少分？

20. 小猫要到小狗家做客，要过两条河，画一画有几种走法。

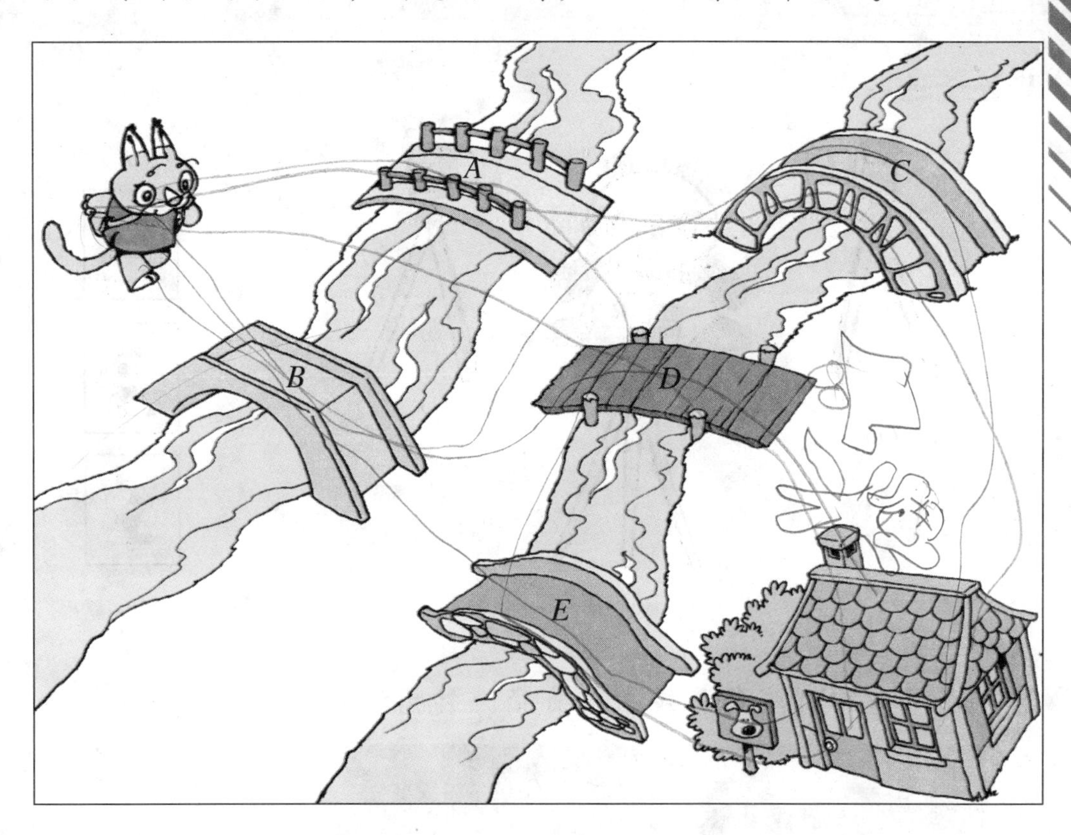

21. 在方格中填上适当的数。

(1) 5位于中央；

(2) 每一数字不能与比它大1或比它小1的数字在同一横行；

(3) 2和4在最下面的一行；

(4) 1和6在最上面一行；

(5) 8在5的上面；

(6) 9在中间的竖行内；

(7) 3，4，6在最右边的竖行内；

(8) 7在3左边第二个空格内。

1	8	6
7	5	3
2	9	4

空间与图形

1. 连一连。

2. 下面星座中哪些角是锐角、直角、钝角？

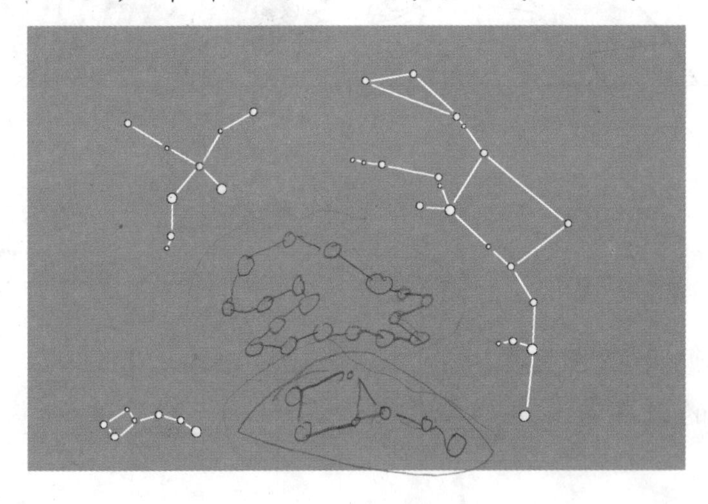

3. 在（ ）里填上适当的单位。

(1) 长江大约长6300（ ）。

(2) 小华家住房面积是98（ ）。

(3) 豹子每时可以跑120（ ）。

(4) 数学书封皮的面积大约是3（ ）。

(5) 课桌大约高80（ ）。

4. 王爷爷靠西墙围了一个羊圈，算出这个羊圈的占地面积。如果砌上围墙，围墙的长应该是多少米？

15 m

24 m

5. 李红家准备在客厅地面上铺上方砖，选择哪种方砖便宜，便宜多少钱？

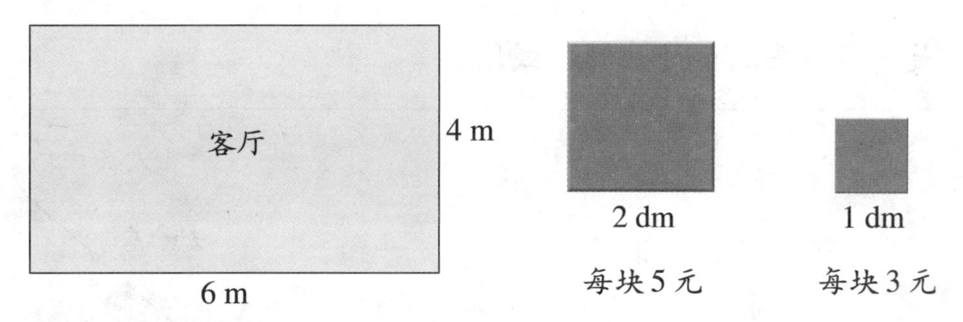

6. 在一块长方形的花坛四周，铺上宽1m的小路。

(1) 花坛的面积是多少平方米？

(2) 小路的面积是多少平方米？

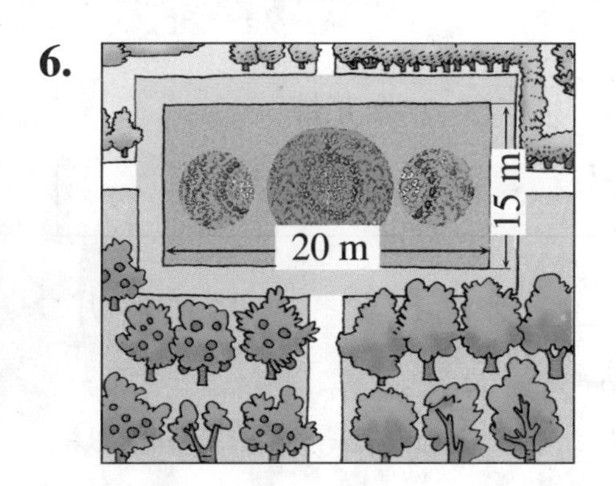

7. 用4个正方体搭一搭，看一看，并填上编号。

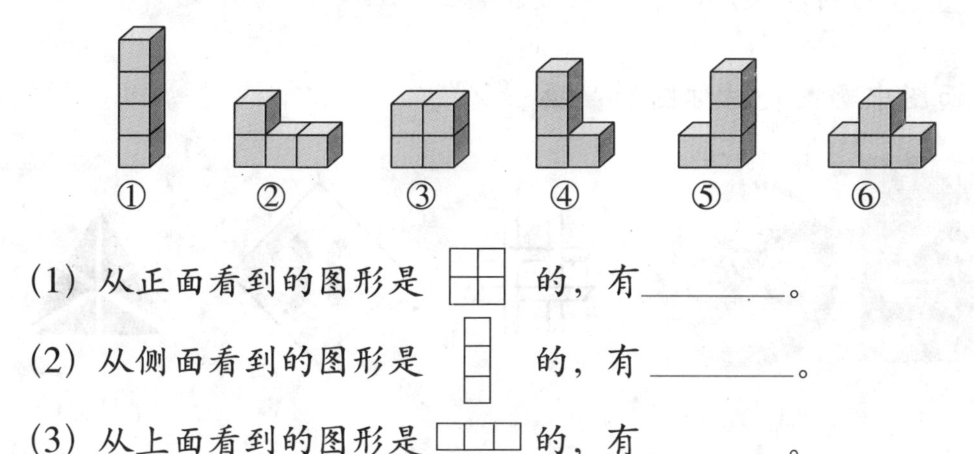

(1) 从正面看到的图形是 的，有________。

(2) 从侧面看到的图形是 的，有________。

(3) 从上面看到的图形是 的，有________。

8. 数一数一共有多少块小木块。

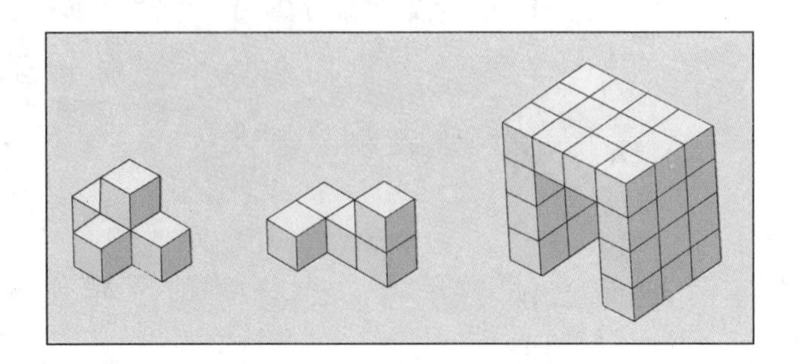

9. 下面是5路公共汽车行驶的路线图。

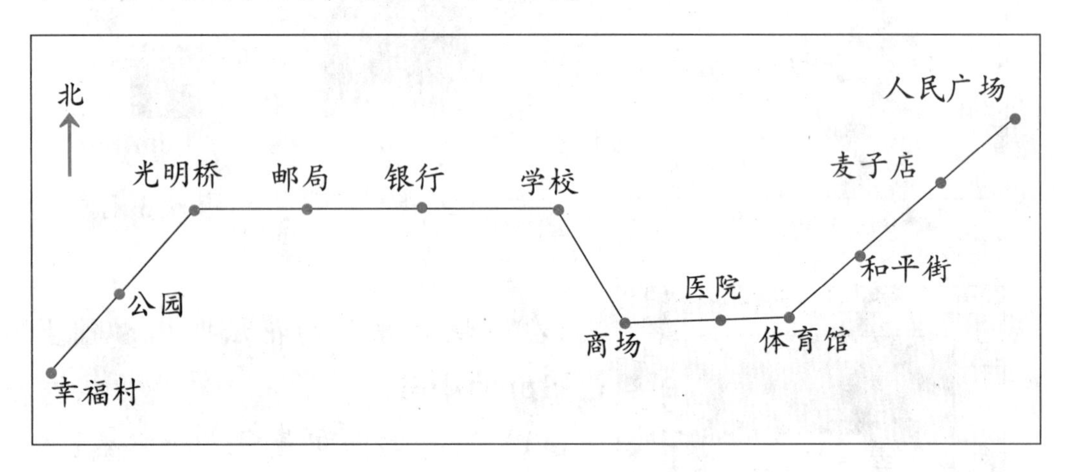

(1) 从学校到幸福村的路线是：向______方向行驶____站到光明桥，再向______方向行驶____站到幸福村。

(2) 从学校到人民广场的路线是：向______方向行驶____站到商场，再向______方向行驶____站到体育馆，再向______方向行驶____站到人民广场。

10. 下面图中哪些是对称图形？画“✓”。

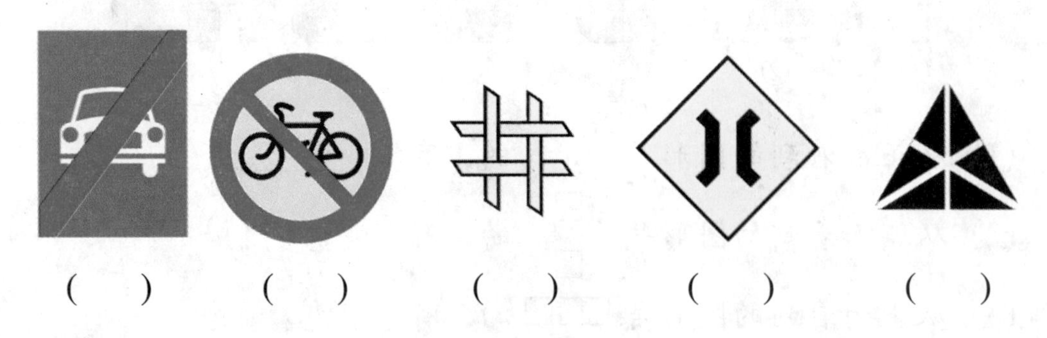

(　　)　　(　　)　　(　　)　　(　　)　　(　　)

11.

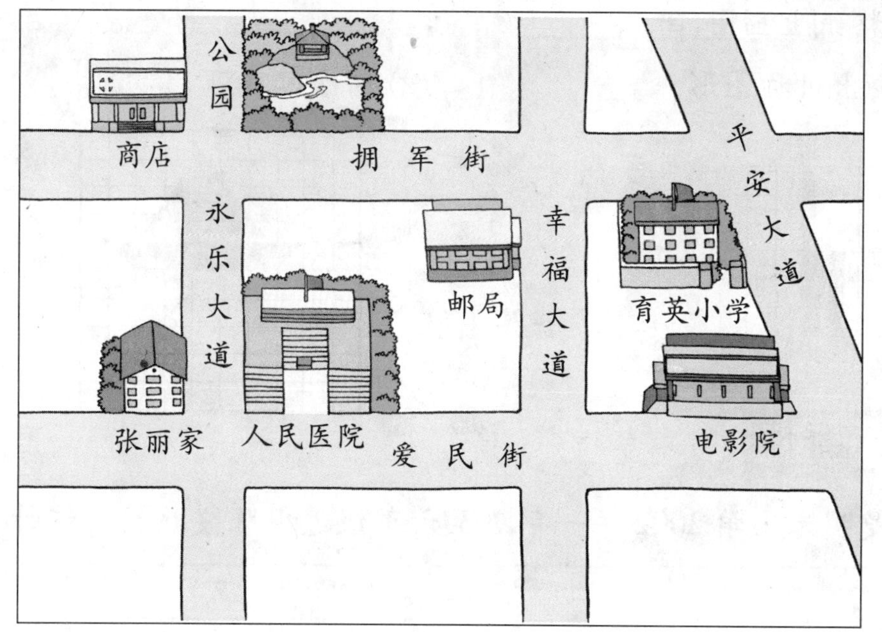

(1) 邮局在拥军街和幸福大道的交叉路口的西南角。

(2) 育英小学在电影院的________方向上。

(3) 公园在________和________的交叉路口的________角。

(4) 张丽去上学，她可能沿着______向______走，到拥军街再向______走，过了幸福大道后，在马路的__侧就是育英小学。

(5) 张丽上学还可能走哪条路线？

(6) 你还能提出哪些数学问题？

12. 说一说下面图中哪些运动是平移、哪些是旋转。

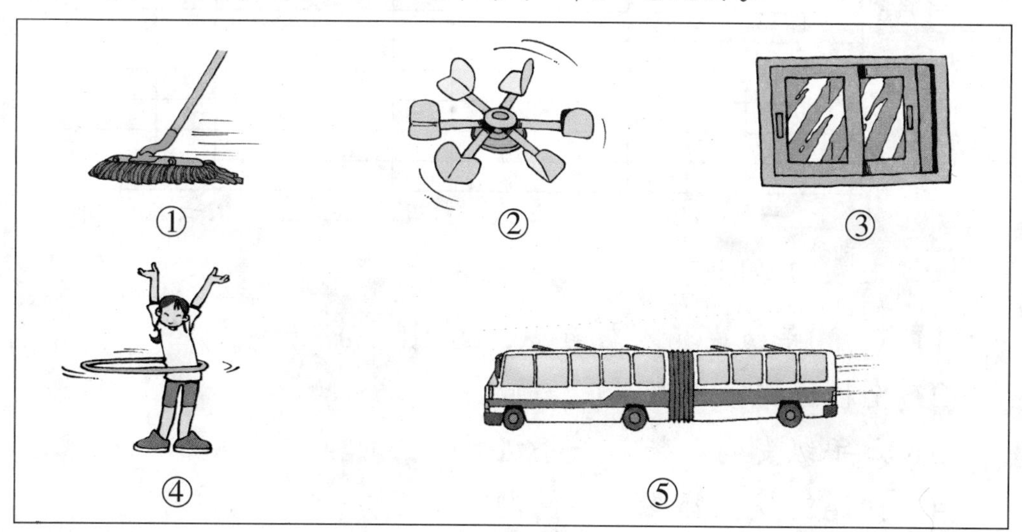

13. 在方格纸上画图。

(1) 画出对称图形。

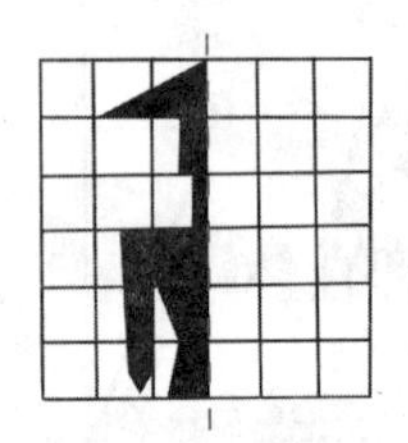

(2) 将小船向下移动5格。

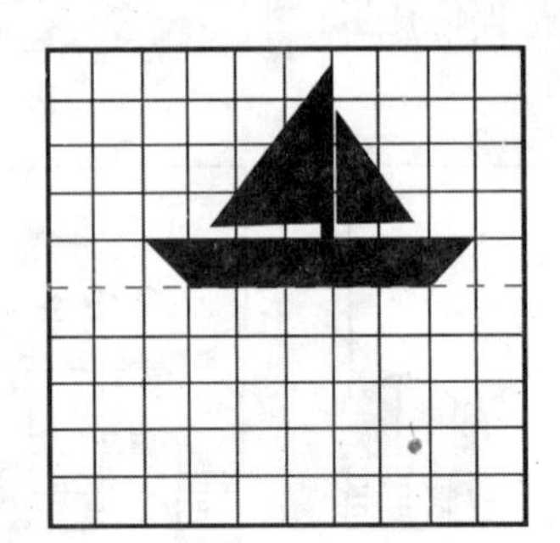

统计与可能性

1. 下面是明光小学2002年一年级至六年级近视眼发病情况统计表。

年级	一	二	三	四	五	六
人数	5	8	12	13	13	15

根据上面的统计表制成统计图。

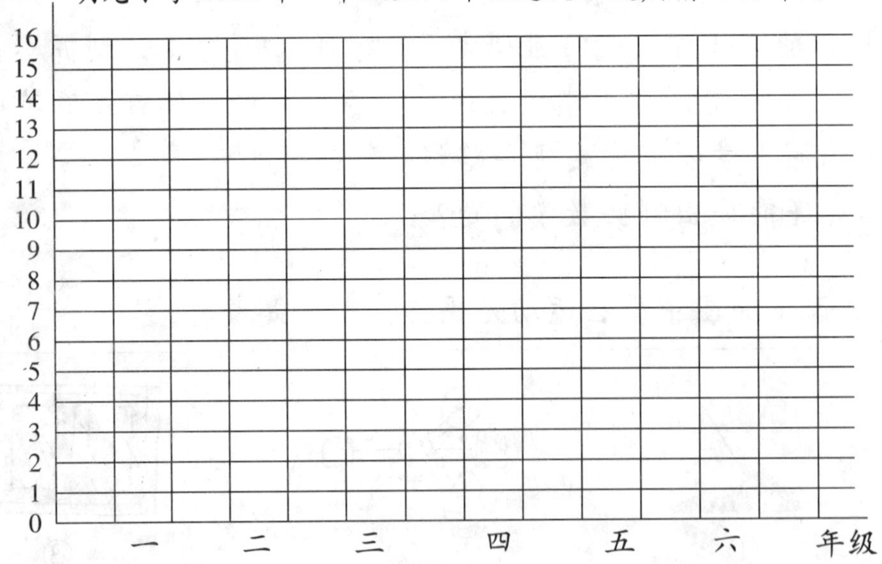

根据上表回答问题。

(1) (　　)年级发病人数最多，达到(　　)人。

(2) 全校近视眼人数共(　　)人。

(3) 六年级发病人数是一年级的(　　)倍。

(4) 你还能提出哪些数学问题？

2. 下面是三(1) 班男同学 1 分跳绳检测的成绩。

学号	成绩	学号	成绩	学号	成绩	学号	成绩	学号	成绩
1	186	6	161	11	135	16	116	21	109
2	157	7	114	12	186	17	85	22	175
3	160	8	91	13	180	18	120	23	95
4	107	9	91	14	89	19	149	24	119
5	126	10	184	15	185	20	120	25	131

(1) 根据上表用画“正”的方法，统计各段的人数。

三(1)班男同学 1 分跳绳检测成绩统计表

	少于 110	110～150	151～180	多于 180
画“正”字				
人 数				

(2) 根据统计表画出统计图。

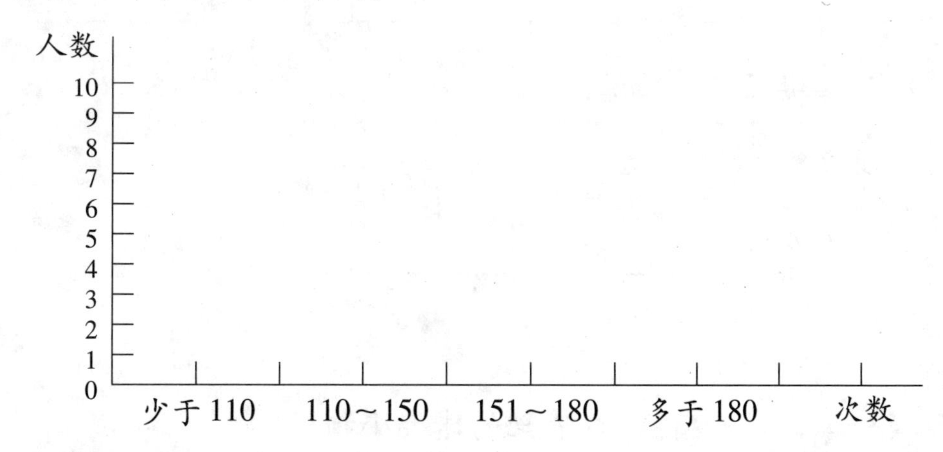

(3) 根据统计表回答问题。

①三(1)班男同学跳绳成绩最好的是____号同学，跳了____个。

②学校规定，1 分跳绳达标成绩是 110 个，三(1)班男同学达标人数是____人，占男同学人数的$\frac{(\quad)}{(\quad)}$。

3. 下面是三(1)班同学回收废报纸的情况统计表。

第一组	第二组	第三组	第四组	第五组	第六组
25 kg	28 kg	30 kg	18 kg	24 kg	25 kg

(1) 全班共回收废报纸（ ）千克。

(2) 平均每个小组回收废报纸（ ）千克。

(3) 如果每千克废报纸值6角，这次回收废报纸共值（ ）元。

(4) 你还能提出哪些数学问题？

4. 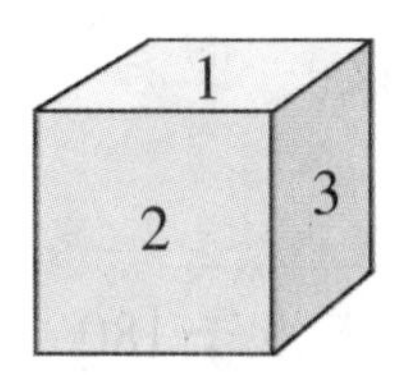

这是一个小正方体，6个面上分别写着1，2，3，4，5，6。随意抛一下，小正方体落在地上后哪面朝上？可能出现哪些结果？

抛20次记录一下，每次的结果。

1	2	3	4	5	6	7	8	9	10	11	12	13	14	15	16	17	18	19	20

汇总全班记录的结果。

出现的数字	1	2	3	4	5	6
出现的次数						

5. 摸一摸，猜一猜。(口袋里的球大小相同)

(1) 口袋里有一个红球和一个黄球，从中拿出一个球，可能是__球。

(2) 口袋里有8个红球和2个黄球，从中拿出一个球，拿出____球的可能性大些。

本学期你学到了什么

1. ______________________________

2. ______________________________

3. ______________________________

问题银行

你在生活中发现了哪些数学问题？把它们写下来。你能解决吗？